Steve Biddulph

Das Geheimnis glücklicher Kinder

Aus dem Englischen von
Heino Nimritz

Mit Illustrationen von
Allan Storman

Wilhelm Heyne Verlag
München

Gewidmet meiner Frau Shaaron, die meinte,
sie müsse wenigstens an dieser Stelle Vorrang haben!
Von unschätzbarem Wert war die Hilfe, die wir von unseren
Lehrern Ken und Elisabeth Mello erhielten.

Umwelthinweis:
Dieses Buch wurde auf
chlor- und säurefreiem Papier gedruckt.

22. Auflage

Taschenbuchausgabe 11/2001
Copyright © TaschenBuchBeust, München, 1999
Copyright © Text Steve and Shaaron Biddulph 1988, 1993, 1999, 2000
Die Originalausgabe erschien unter dem Titel
THE SECRET OF HAPPY CHILDREN
im Verlag Bay Books, Sydney, Australien
Die deutsche Ausgabe erschien mit Genehmigung von Bay Books,
einem Imprint von HarperCollins (Australia) Pty Limited
Copyright © 1994, 2000 der deutschsprachigen Ausgabe by Beust Verlag, München
Copyright © Illustrationen by Allan Storman
Wilhelm Heyne Verlag München, in der Verlagsgruppe Random House GmbH
http://www.heyne.de
Printed in Germany 2006
Innenillustrationen: Allan Storman
Umschlagillustration: Allan Storman
Umschlaggestaltung: Eisele Grafik-Design, München
Druck und Bindung: GGP Media GmbH, Pößneck

ISBN-10: 3-453-19742-9
ISBN-13: 978-3-453-19742-8

Inhalt

Schlagwortverzeichnis

Über den Autor

Steve Biddulph ist ausgebildeter Psychologe und Familientherapeut. Zu seinen Lehrern zählen die wichtigsten Pioniere der Er-
ziehungsberatung in Australien und in den USA. Auf dieser
Grundlage und unter Einbeziehung neuester Erkenntnisse der
Kinderpsychologie hat er seinen eigenen von Humor und An-

teilnahme geprägten, frischen Beratungsstil entwickelt. Steve
Biddulph ist der Autor mehrerer Bücher. Auf deutsch erschien
bisher *Männer auf der Suche,* das die neue Rolle behandelt, die
Männer künftig in Erziehung, Familie und Gesellschaft spielen
können, sowie *Jungen! Wie sie glücklich heranwachsen,* das bin-
nen Wochen die Bestsellerlisten in Australien gestürmt hat.

Steve Biddulph lebt mit seiner Frau Shaaron und seinen beiden Kindern im Norden des australischen Bundesstaats New
South Wales.

Eine persönliche Anmerkung

Als ich *Das Geheimnis glücklicher Kinder* schrieb, habe ich mir nie träumen lassen, daß dieses Buch ein solcher Erfolg werden würde. Zehn Jahre nach dem Verfassen der ersten Schreibmaschinenseiten haben es mehr als eine Viertelmillion Menschen in fünf Ländern gelesen. Heute verbringe ich die meiste Zeit damit, Vorträge vor Menschen zu halten, die entweder das Buch bereits gelesen haben, davon gehört haben oder einfach kommen, weil es am fraglichen Abend nichts Besseres im Fernsehen gibt!

Damals war ich als Familientherapeut noch ziemlich unerfahren, aber bewegt von dem Herzenswunsch, Vätern und Müttern das Auskommen mit ihren Sprößlingen etwas zu erleichtern – und den Kindern die Nöte und Ängste zu ersparen, unter denen meine Generation häufig noch zu leiden hatte.

In der ersten Ausgabe warnte ich die Leser auf der ersten Seite, daß ich selbst keine Kinder, vielmehr „Wombats" habe (Für meine deutschen Leser: Dieses gutmütige australische Nachttier sieht aus wie eine Mischung aus einem Hausschwein und einem Goldhamster), die obendrein schlecht erzogen seien. Ich erwähnte das nicht nur, weil es den Tatsachen entsprach, sondern auch, weil ich meinen Lesern zeigen wollte, daß meine Erziehungsmethoden nicht immer erfolgreich sind, letztendlich das Individuelle entscheidend ist und man sich nie blind auf den Rat sogenannter Experten verlassen sollte. Wenn Sie Ihr Herz sprechen lassen, werden Sie immer herausfinden, wie Sie Ihre Kinder am besten erziehen. Bücher, Experten, Freunde und Kurse sind nur hilfreich, wenn sie den Weg zum eigenen Herzen weisen.

Heute habe ich Kinder und Wombats. Und es versetzt mir noch immer einen Stich in die Brust, wenn ich eine junge Mutter mit einem Baby oder einen jungen Vater mit seinen Kindern im Supermarkt sehe – weil ich weiß, daß sie, wie wir alle, versuchen, es richtig zu machen. Auch sie möchten ihren Kindern den bestmöglichen Start ins Leben geben und haben es dabei doch so schwer.

Daß nunmehr die überarbeitete Neuauflage meines Buches auch auf deutsch erscheint, macht mich stolz. Tausende von australischen Eltern haben mir persönlich versichert, daß sie meine Anregungen hilfreich fanden und tatsächlich umsetzen konnten. Viele ihrer Erfahrungen sind dieser Neuauflage des Buches zugute gekommen.

Wir alle brauchen Zuspruch und Unterstützung, um unsere Aufgabe als Mütter, Väter, Eltern zu erfüllen und glückliche, gesunde und liebevolle Kinder aufzuziehen.

Mit diesem Buch möchte ich Ihnen Mut machen und Ihnen meine herzliche Anteilnahme mit auf den Weg geben.

Ihr
Steve Biddulph

Warum sind so viele Erwachsene unglücklich?

Denken Sie an all die Menschen in Ihrem Bekanntenkreis, denen es an Selbstbewußtsein fehlt, die sich nie entscheiden können, die sich ständig über Kleinigkeiten aufregen, die immer angespannt scheinen, denen es schwer fällt, Freunde zu finden; oder denken Sie an die aggressiven Menschen, die andere herabsetzen und denen die Bedürfnisse ihrer Mitmenschen gleichgültig sind. Und an all jene, die sich gerade noch bis zum nächsten Schluck oder zur nächsten Pille über Wasser halten.

Vor allem in den reichsten Ländern der Welt hat das Unglücklichsein fast epidemische Ausmaße angenommen: Eine nicht unerhebliche Zahl von Erwachsenen wird irgendwann psychiatrischer Behandlung bedürfen, jede dritte Ehe endet mit Scheidung, einer von vier Erwachsenen ist von Beruhigungsmitteln abhängig.

Arbeitslosigkeit und wirtschaftliche Probleme machen das Leben nicht eben leichter, aber Unglückliche gibt es in allen Einkommensschichten. Eher ist es so, daß kein Geld der Welt im Stande scheint, das Problem zu lösen.

Andererseits gibt es Menschen, die zu unserer Verwunderung auch angesichts schwierigster Umstände fröhlich und optimistisch bleiben. Wie kommt es, daß in einigen Mut und Freude unverdrossen weiterblühen?

Die Antwort: Viele Menschen sind zum Unglücklichsein programmiert worden. Man hat ihnen als Kinder – unabsichtlich – beigebracht, unglücklich zu sein. Und sie leben die Rolle der Unglücklichen bis an ihr Lebensende weiter. In diesem Buch soll gezeigt werden, wie schnell man Kindern einimpfen kann, sich selbst nicht zu mögen, und wie man ihnen damit ein Leben lang Probleme auflädt.

In diesem Buch geht es deshalb allein darum, wie man negative Programmierungen vermeidet – und wie man Kinder zu glücklichen Kindern macht.

Die Psyche prägen

Sie hypnotisieren Ihre Kinder ohnehin jeden Tag. Warum dann nicht bewußt das Richtige vermitteln?

Es ist 9 Uhr abends, und ich sitze in meinem Büro mit einer in Tränen aufgelösten 15-Jährigen. Ihr modisches Outfit, für weit Ältere gedacht, läßt sie noch hilfloser und kindlicher erscheinen. Wir sprechen über ihre Schwangerschaft und darüber, was sie jetzt tun will.

Jedem, der mit Teenagern arbeitet, ist diese Situation wohlbekannt. Doch das heißt nicht, daß hier Routine wohlfeile Ratschläge und schnelle Lösungen zuläßt. Denn für die junge Frau, die vor mir sitzt, ist dies der schlimmste Tag ihres Lebens, und sie braucht all meine Unterstützung und all die Zeit und Konzentration, über die ich verfügen kann. Am wichtigsten aber ist, ihr zu helfen, eine eigene Entscheidung zu treffen.

Ich frage sie, wie wohl ihre Eltern reagieren werden, und als Antwort platzt aus ihr heraus:

> „Na, die werden sagen, daß sie es mir schon immer prophezeit haben; sie haben mir schon immer gesagt, daß ich zu rein gar nichts tauge."

Auf der Heimfahrt geht mir dieser Satz nicht aus dem Kopf: „Sie haben mir schon immer gesagt, daß ich zu rein gar nichts tauge" – wie oft habe ich Eltern auf diese Art und Weise und ähnlich mit ihren Kindern sprechen hören:

> „Bei dir ist Hopfen und Malz verloren!"
> „Du bist vielleicht eine Nervensäge"
> „Das wirst du noch bereuen"

„Du bist genauso böse wie dein Onkel Erwin"
(der im Gefängnis sitzt)
„Du bist genauso wie deine Tante Erika"
(die gerne ein Glas trinkt)
„Bist du verrückt geworden oder was?"

Mit diesen Sätzen werden viele Kinder quasi programmiert. Unabsichtlich werden sie von gestreßten Eltern dem Nachwuchs verabreicht wie ein Fluch, der von Generation zu Generation weitergegeben wird. Sie haben die Wirkung einer sich selbst erfüllenden Prophezeiung – je öfter sie wiederholt wird, desto eher tritt sie auch ein. Kinder sind hochbegabte, exakte Beobachter und auf seltsame Weise kooperativ – normalerweise erfüllen sie die Erwartungen, die wir in sie setzen!

Die eben genannten, zugegebenermaßen krassen Aussprüche sind unzweifelhaft schädlich. Die meisten der negativen Programmierungen sind jedoch nicht sofort als solche zu erkennen. Spielen Kinder auf einem Baugrundstück, klettern sie auf einen Baum, so hört man schon den ängstlichen Ruf der Mutter am Zaun: „Du wirst runterfallen! Paß auf, du rutschst gleich aus!"

Am Ende eines halbherzig geführten Streits mit der Mutter, die daraufhin wutentbrannt die Tür zuknallt und auf die Straße läuft, verkündet der leicht angetrunkene Vater: „Da siehst du es, mein Sohn, trau keiner Frau über den Weg. Am Ende machen sie dich fertig." Der Siebenjährige schaut feierlich zum Vater auf und nickt: Ja, Papi.

Und in Millionen von Wohnzimmern und Küchen fallen Sätze wie:

„Mein Gott, bist du faul!"
„Du bist so egoistisch!"

„Du Idiot, laß das!"

„Gib das her, du Blödmann!"

„Laß mich in Ruhe, nerv' mich nicht!"

Unsere Untersuchungen haben gezeigt, daß sich ein Kind in der Folge solcher Aussprüche nicht nur unmittelbar danach schlecht und minderwertig fühlt. Nein, solche Äußerungen haben auch einen hypnotischen Effekt und wirken im Unterbewußtsein weiter. Wie Samen werden sie in der Psyche keimen und das Selbstverständnis des betroffenen Menschen beeinflussen, um am Ende sogar seine gesamte Persönlichkeit zu prägen.

Wie hypnotisieren wir unsere Kinder?

Hypnose und Suggestion haben die Menschen schon immer fasziniert, oft werden damit magische und transzendente Vorgänge assoziiert; tatsächlich aber handelt es sich um wissenschaftlich belegte Methoden. Viele von Ihnen werden ihre Wirksamkeit schon erlebt haben, vielleicht bei einer Hypnoseshow, anläßlich einer Raucherentwöhnung oder im Zusammenhang mit Entspannungsübungen.

Wir alle kennen die wesentlichen Elemente der Hypnose: Ein sich gleichmäßig bewegender Gegenstand lenkt den Geist ab („konzentrieren Sie sich auf die pendelnde Uhr"), in sanftem Befehlston („Sie sind ganz müde!") wiederholt der Hypnotiseur rhythmisch immer wieder denselben Satz. Auch die posthypnotische Suggestion ist uns geläufig, die Möglichkeit, einer nichts ahnenden Person einen Befehl zu suggerieren, den diese später auf ein bestimmtes Signal hin ausführt. Auf der Bühne lassen sich damit verblüffende Effekte erzielen, und von einem speziell ausgebildeten Therapeuten angewendet, kann Hypnose ein sehr wirksames Instrument bei der Heilung sein.

Doch den meisten von uns ist nicht bewußt, daß Hypnose ein fester Bestandteil unseres Alltags ist. Sobald wir bestimmte Sprechmuster wiederholt verwenden, greifen wir bereits in das Unterbewußtsein unserer Kinder ein und programmieren sie – auch wenn wir es gar nicht beabsichtigen. Allgemein wird ange-

Hypnotisiert werden, ohne es zu wissen

Der verstorbene Dr. Milton Erikson galt als der größte Hypnotiseur seiner Zeit. Einst wurde er zu einem Mann gerufen, der wegen einer Krebserkrankung unter starken Schmerzen litt, sich aber weder der Hypnose unterziehen noch Schmerzmittel einnehmen wollte. Erikson suchte ihn einfach im Krankenzimmer auf und begann eine Unterhaltung über dessen bevorzugtes Hobby – die Tomatenzucht.

Einem aufmerksamen Zuhörer wäre die merkwürdige Sprechweise Eriksons, die Betonung bestimmter Wörter wie „tief unten" (im Boden), „gut und stark" (wachsend), „einfach" (zu pflücken), „warm und locker" (im Glashaus) sowie der ungewöhnliche Rhythmus seiner Sätze aufgefallen. Der Beobachter hätte auch bemerkt, daß sich Eriksons Gesicht und Haltung beim Aussprechen dieser Schlüsselwörter leicht veränderte.

Der krebskranke Mann hatte allerdings das Gefühl, sich lediglich gut zu unterhalten. Bis zu seinem Tod aber, der, wie die Ärzte vorausgesagt hatten, fünf Tage später eintrat, verspürte der Mann keine Schmerzen mehr.

nommen, daß Hypnose in einem anderen Bewußtseinszustand, einem Zustand der Trance, wirkt, was mittlerweile widerlegt wurde; nur bestimmte Formen des unbewußten Lernens bedürfen solcher Zustände. Tatsächlich verhält es sich so – und das ist ziemlich beunruhigend –, daß der menschliche Geist auch im Wachzustand, ohne daß die betroffene Person sich dessen gewahr würde, programmiert werden kann.

In den Vereinigten Staaten ist man bereits dabei, Verkäufer und Mitarbeiter von Werbeagenturen für den Einsatz von hypnotischen Methoden im alltäglichen Geschäftsverkehr zu schulen – eine erschreckende Vorstellung (einige weitere Anmerkungen zu diesem Thema finden Sie im Anhang des Buches, wo kurz auf die theoretischen Grundlagen eingegangen wird).

Glücklicherweise erfordert der manipulierende Einsatz von Hypnose große Erfahrung und Geschick; zudem kann jeder Manipulationsversuch unterlaufen werden, wenn sich die betreffende Person des Vorgangs bewußt wird. Zufällige Hypnose jedoch ist so alltäglich, daß Eltern – ohne es zu merken – ihren Kindern Botschaften einimpfen, die ein Leben lang fortwirken, wenn sie nicht deutlichem Widerspruch begegnen.

Der Geist eines Kindes ist voller Fragen. Und die vielleicht wichtigsten dieser Fragen lauten: Wer bin ich? Was für eine Art von Person bin ich? Wo gehöre ich hin? Fragen zur Selbsteinschätzung, Fragen der Identitätssuche, von denen grundsätzliche Entscheidungen abhängen. Deshalb wird ein Kind gravierend von allen Feststellungen, die mit den Worten „Du bist" beginnen, geprägt.

Du-Botschaften

Ob die Botschaft „Du bist faul" oder „Du bist großartig" lautet, ist gleich, derartige Feststellungen einer „großen" Person werden sich im Unterbewußtsein eines Kindes festsetzen. Oft habe ich von Erwachsenen, die in eine Lebenskrise geraten waren, gehört, daß man ihnen in der Kindheit gesagt hat: „Du bist zu nichts nutze, das weiß ich genau!"

Die psychologische Fachsprache mit ihrer Tendenz, die Dinge noch ein bißchen komplizierter zu machen, nennt solche Aussagen „Attribute": Und in jedem Erwachsenenleben tauchen solche Attribute immer wieder auf.

„Warum bewirbst du dich nicht für die in deiner Firma ausgeschriebene Stelle?"
„Nein, dafür bin ich nicht gut genug."

„Siehst du nicht, daß er so ist wie dein letzter Mann?"
„Ich bin wahrscheinlich einfach zu blöd!"

„Warum läßt du dich von ihm rumkommandieren?"
„Das ist mir mein ganzes Leben so ergangen."

Die Worte „nicht gut genug" oder „einfach zu blöd", kommen nicht von ungefähr. Sie sind in der Psyche der betreffenden Personen gespeichert, sie wurden ihnen in einem Alter eingetrichtert, als sie deren Wahrheitsgehalt nicht hinterfragen konnten. „Aber", höre ich Ihren Einwand, „Kinder sind doch sicherlich nicht mit solchen ‚Du-Botschaften' einverstanden."

Stimmt, Kinder denken über die Sachen nach, die sie zu hören bekommen, überprüfen sie auf ihre Richtigkeit hin. Aber Kinder haben wenig Vergleichsmöglichkeiten; sind wir denn nicht alle manchmal egoistisch, faul, schlampig, vergeßlich, schadenfroh usw.? Wenn der Pfarrer in alten Zeiten von der Kanzel donnerte "Ihr habt gesündigt!", so konnte er kaum falsch liegen – alle hatten gesündigt!

„Erwachsene wissen alles; sie können sogar Gedanken lesen", so denken Kinder. Wenn einem Kind gesagt wird „Du bist ein Tolpatsch", wird es sich tatsächlich tolpatschig verhalten.

Das Kind spürt die Zurückweisung, wenn es „Du Nervensäge!" zu hören bekommt. Es gerät in Panik, will sich vergewissern, daß es nicht abgelehnt wird, und fängt wirklich an, eine Nervensäge zu sein.

Heißt es „Du Dummkopf!", mag das Kind sichtbar dagegen protestieren, doch im Innern kann es nur traurig zustimmen: „Wenn du als Erwachsener das sagst, muß es wohl stimmen."

„Du-Botschaften" wirken sowohl im Bewußtsein als auch im Unterbewußtsein. Oftmals haben wir Kinder gebeten, sich selbst zu beschreiben, und immer wieder gaben sie Antworten wie „Ich bin ein böses Kind", „Ich bin ein Quälgeist" etc.

Andere Kinder zeigten sich verwirrt: „Mami und Papi sagen zwar, daß sie mich gern haben, aber ich glaube nicht, daß das stimmt." Kinder nehmen zwar die Worte wahr, aber unterbewußt hören, sehen, riechen sie das Gefühl, das in den Worten steckt.

Es kommt darauf an, wie wir etwas sagen

Wir können sagen „Ich bin wütend auf dich und ich will, daß du jetzt sofort dein Zimmer aufräumst!" und brauchen uns keine Sorgen über irgendwelche langfristigen Folgen zu machen. Wenn wir aber sagen „Du faules kleines Gör, du willst wohl nie gehorchen!" und diese Botschaft immer dann wiederholen, wenn ein Konflikt ansteht, brauchen wir uns über das Resultat nicht zu wundern.

Versuchen Sie nicht, sich glücklich oder liebevoll zu geben, wenn Ihnen nicht danach ist – Kinder werden dadurch nur ver-

wirrt, sie reagieren ausweichend und mit der Zeit gar ernsthaft verstört.

Wir können unsere Gefühle offen ausdrücken, ohne unsere Kinder zu demütigen. Kinder können mit Sätzen wie „Ich bin heute einfach zu müde dazu" oder „Im Augenblick bin ich zu wütend" durchaus umgehen, vor allem, wenn die Worte mit dem übereinstimmen, was sie die ganze Zeit gespürt haben. So bekommen sie mit, daß auch die Eltern nur Menschen sind – und das ist keine schlechte Einsicht.

Auf einem Elternabend fragte ich einmal, ob die Anwesenden mir die „Du-Botschaften" nennen könnten, die sie aus der Kindheit in Erinnerung behalten hatten. Ich notierte alle Aussagen an der Tafel:

DU BIST FAUL TOLPATSCHIG DUMM

EIN QUÄLGEIST NUR EIN MÄDCHEN

ZU JUNG, UM ZU VERSTEHEN

BLÖD EINE NERVENSÄGE

DRECKIG GEDANKENLOS

RÜCKSICHTSLOS EGOISTISCH

IMMER ZU SPÄT

GIERIG SCHLECHT GELAUNT

GEHIRNLOS LAUT OHNE MUMM

EINE EINZIGE SORGE VERRÜCKT

REIF FÜR DIE KLAPPSMÜHLE

BRINGST MICH NOCH INS GRAB

HÄSSLICH EINFÄLTIG UNREIF

WIE DEIN VATER

... UND ENDLOS MEHR

Die Antworten kamen zunächst zögerlich, doch dann, als sich die Schleusen des Gedächtnisses öffneten, war kein Halten mehr. Am Ende war die Tafel voll beschrieben und die Versammlung fast in Aufruhr geraten. Deutlich war in den Gesichtern das Gefühl der Erleichterung und der Befreiung zu lesen, als die Menschen die Worte aussprachen, die sie vor so langer Zeit verletzt hatten.

Die allerwenigsten meinten, daß ihre Eltern bewußt zerstörerisch oder gemein gewesen seien. Vielmehr sei es in ihrer Kindheit üblich gewesen, in dieser Art und Weise das Verhalten von Kindern zu beeinflussen. „Sag' ihnen, daß sie schlecht sind, dann werden sie sich bessern!" Das war zwar noch im dunklen Zeitalter der Kindererziehung – doch wir fangen gerade erst an, uns davon zu befreien.

Unbewußtes Aufnehmen

Daß man unbewußt etwas aufnimmt, hat sicher schon jeder einmal erlebt: Man unterhält sich mit einem/einer Bekannten auf einem Fest oder einer Versammlung. Der Raum ist erfüllt von den Gesprächen der anderen, vielleicht ertönt auch noch Musik. Plötzlich hört man deutlich, wie der eigene Name oder der Name eines Freundes oder etwas anderes, was einem wichtig ist, auf der

Unser Gedächtnis erinnert sich an alles

In den 50er Jahren suchte man nach neuen Wegen, den Menschen, die an Epilepsie litten, zu helfen. Die Medikamente, über die wir heute verfügen, waren noch nicht entwickelt, und ein Mann namens Penfield fand heraus, daß eine Operation in schweren Fällen Erleichterung bringen konnte. Mittels kleiner Einschnitte in die Gehirnoberfläche gelang es ihm manchmal, die „elektrischen Stürme", die die epileptischen Anfälle auslösten, völlig zum Stillstand zu bringen oder ihnen doch einen Großteil ihrer Wirkung zu nehmen.

Bei diesem Eingriff – ich hoffe, Sie sitzen gerade – wurden die Patienten, um den Operationsablauf besser überwachen zu können, lediglich örtlich betäubt. Dann entfernte der Chirurg ein Stück des Schädels, machte seine Schnitte, setzte das Stück wieder ein und nähte die Haut darüber wieder zusammen ... Auch mir läuft es bei dem Gedanken kalt den Rücken hinunter, aber auf diese Weise gelang es immerhin, die Krankheit besser in den Griff zu bekommen.

Während der Operation erlebten die Patienten jedoch etwas Überraschendes: Wenn die Mikrosonde des Arztes die Oberfläche des Gehirns leicht berührte, hatten sie ganz plastische Erinnerungsschübe – sie waren wieder im Kino, hatten den schäbigen Geruch des Vorstadtkinos in der Nase und spürten den Ärger über die Turmfrisur in der vorderen Reihe. Berührte der Arzt eine andere Stelle, so sah der Patient seinen vierten Geburtstag vor dem geistigen Auge auftauchen – und das, obwohl er bei vollem Bewußtsein auf dem Operationstisch lag.

Anschließende Forschungen bestätigten diese bemerkenswerte Entdeckung: Alles – jedes Wort, jeder Laut, jeder Anblick – ist in unserem Gehirn gespeichert. Oft ist es schwierig, sich zu erinnern, tatsächlich ist aber auf der gewundenen Oberfläche unseres Gehirns unser gesamtes Leben aufgezeichnet!

anderen Seite des Raums ausgesprochen wird. „Na, was die wohl wieder über mich reden", schießt es einem durch den Kopf.

Wie funktioniert das? Die Forschung hat herausgefunden, daß wir auf zweierlei Art hören: Zum einen registriert unser Hörvermögen jeden Laut, der das Ohr erreicht, zum anderen bestimmt unsere Aufmerksamkeit, was wir bewußt wahrnehmen. Unbewußt aber erfaßt unser hervorragendes Gehör jedes Gespräch in Hörweite, und eine Art Schaltzentrale in unserem Gehirn „stellt" das Gespräch „durch", in dem ein Schlüsselwort oder Schlüsselsatz fällt. Natürlich kann man kaum allem Gesagten gleichzeitig zuhören, weshalb ein grobes Überwachungssystem die gehörten Laute auf wichtige Botschaften hin untersucht. Ungezählte Experimente haben das immer wieder bewiesen, auch die Tatsache, daß Menschen sich unter Hypnose an Dinge erinnern, die sie nie bewußt wahrgenommen haben, bestätigt diesen Vorgang.

Geschichten wie die folgende erzählt man sich überall auf der Welt:

Spät nachts gerät ein Schwerlaster außer Kontrolle, rast die Böschung hinunter und landet im Wohnzimmer eines Einfamilienhauses. Als die Rettungsmannschaften das Haus betreten, finden sie zu ihrer Überraschung eine junge Mutter tief schlafend vor. Während sie da stehen, unschlüssig, was jetzt zu tun sei, fängt ein Baby im Nebenraum an zu schreien. Sofort ist die Mutter wach: „Ist was passiert?"

Selektives Hören findet auch während des Schlafs statt, und in diesem Fall werden eingehende Laute nur auf eine Sache hin geprüft: das Baby. Lediglich dessen Geräusche werden „durchgestellt".

Was hat das Geschilderte mit Kindern zu tun? Überlegen Sie einmal, wie oft über Kinder geredet wird, in der Annahme, daß sie nicht zuhören. Erinnern Sie sich daran, wie gut Kinder hören können (das Rascheln einer Schokoriegelverpackung hören sie problemlos aus einer Entfernung von 50 Metern!). Und Kinder hören auch während des Schlafs, was um sie herum vorgeht und was gesagt wird.

Besonders empfindsam sind Kinder, die noch nicht sprechen können (oder solche, die Sie im Glauben lassen, sie könnten nicht sprechen). Kleinkinder erfassen, schon Monate bevor sie überhaupt die ersten Wörter äußern, das meiste von dem, was mit Worten ausgedrückt werden soll – wenn nicht sogar jedes einzelne Wort. Oftmals wundere ich mich über Eltern, die seit Jahren schmerzhafte Auseinandersetzungen führen oder aus ir-

gendeinem Grund unglücklich sind, wenn sie mir erzählen: „Die Kinder wissen natürlich nichts davon".

Im Gegenteil: Kinder wissen fast alles über jedes. Sie mögen Ihnen helfen wollen, indem sie es für sich behalten, oder sie zeigen es indirekt durch Bettnässen oder „Mordversuche" an jüngeren Geschwistern, aber sie wissen es. Wenn Sie also über Ihre Kinder reden, sollten Sie sich im klaren darüber sein, was Sie sagen wollen. Auch das ist ein direkter Draht zu ihrem Geist.

Warum nutzen Sie nicht diesen direkten Draht? Sprechen Sie aus, was Ihnen an Ihrem Kind gefällt und teilen Sie es anderen mit, wenn der Nachwuchs in Hörweite ist. Das kann man besonders gut anwenden, wenn die Kinder in einem Alter sind, in dem ihnen direktes Lob peinlich ist.

Verankern

Das Verankern gilt als eine der neuesten Entdeckungen auf dem Gebiet der Hypnose. Wissenschaftler haben herausgefunden, daß eine Botschaft am besten in die Psyche einer Person eingebracht werden kann, wenn sie von Signalen begleitet wird, die sie verstärken.

Das ist im Grunde recht einfach: Wenn jemand zu Ihnen sagt: „Sie sind eine Nervensäge!", werden Sie verunsichert sein; wenn er zugleich die Stimme erhebt und mit Drohgebärden auf Sie zukommt, also etwas außer Kontrolle gerät, dann befinden Sie sich in einer prekären Lage.

Wenn dieser Jemand zudem dreimal so groß ist wie Sie und noch dazu mit Ihnen verwandt – wenn gar Ihr Wohlergehen von ihm abhängt –, dann werden Sie die Begebenheit für den Rest Ihres Lebens nicht vergessen.

Viele Menschen verhalten sich im Alltag eher zurückhaltend. Leidenschaftlichkeit zeigen wir selten und ebenso selten werden

Hören und Heilen

Eine meiner Lehrerinnen, Dr. Virginia Satir, hat mir einmal die folgende Geschichte erzählt:

Einem Kind waren die Mandeln herausgenommen worden, und zurück im Krankenzimmer wollte die Blutung der Wunde nicht aufhören. Dr. Satir trat zu dem besorgten Pflegepersonal, das gerade die noch offene Wunde im Hals des Kindes untersuchte. Einer Eingebung folgend fragte sie, was im Operationssaal während des Eingriffs passiert sei, und so erfuhr sie, daß sich das Team über eine vorangegangene Operation unterhalten hatte:

„Nun, wir hatten unmittelbar zuvor an einer alten Dame einen Kehlkopfkrebs operiert".

„Und worüber haben Sie gesprochen?"

„Über die letzte Operation, daß die alte Frau wenig Chancen habe, die Operation zu überleben, da der Krebs schon zu weit fortgeschritten sei."

Dr. Satir überlegte: Sie stellte sich vor, wie man das Kind unter Vollnarkose einem einfachen Routineeingriff unterzog und währenddessen über den vorangegangenen Fall sprach: „kaum Überlebenschancen", „ziemlich hoffnungsloser Zustand". Sie reagierte prompt, ließ das Kind sofort in den Operationssaal zurückbringen und die Schwestern folgende Sätze sagen:

„Schaut mal her, das Kind hier schaut aber gesund aus, ganz anders als die alte Frau, die wir vorhin operiert haben", „Das Kind hat einen wirklich gesunden Hals", „Es wird sich sicher bald erholt haben und wieder mit den Freundinnen spielen!"

Die Blutung hörte tatsächlich auf, das Kind wachte bald aus der Narkose auf und wurde am nächsten Tag nach Hause entlassen.

wir einmal laut. Das heißt nicht, daß wir innerlich ruhig und entspannt wären – eher ist es wohl so, daß wir uns unter Kontrolle haben und nichts herauslassen wollen. Wir behalten unsere Gefühle, schlechte wie gute, lieber für uns, und sollte es einmal wirklich schlecht laufen, so versuchen wir, unsere Bürde so gut es geht allein zu tragen.

Wir lassen uns möglichst nichts anmerken, und wenn wir dann explodieren oder zusammenbrechen, sind wir selbst oft genauso überrascht wie die anderen um uns herum. Wenn wir Ärger und Frustration ablassen, dann schätzt uns die Umwelt als außer Kontrolle geraten und gefährlich ein – und vielleicht teilen wir diese Einschätzung sogar!

Auch unseren Kindern gegenüber formulieren wir die alltäglichen Botschaften eher vage und indirekt. „Liebling, bitte laß das, komm' weiter", „So ist's brav, Junge", negative wie positive Aussagen werden eher nebenbei geäußert und haben keine große Wirkung. Aber eines Tages, wenn Mami oder Papi wirklich überlastet sind, kommt ein mächtiger Ausbruch: „Du dummes Gör, willst du endlich still sein!" Weit aufgerissene Augen, plötzliche, bedrohliche Nähe, nie zuvor gehörte Lautstärke und das den Boden unter den Füßen wegziehende, sich tief einprägende Gefühl, daß die Situation außer Kontrolle gerät, verankern die Botschaft. Die Botschaft ist, wenn auch unwahr, überdeutlich: „Das ist es also, was Mami oder Papi wirklich von mir denken!"

Die Sätze, die überlastete Eltern in solchen Situationen gebrauchen, sind oftmals nicht von Pappe:

„Ich wünschte, du wärst nie geboren worden!"
„Du bist ein dummes, dummes Kind!"

„Du bringst mich noch ins Grab, hörst du!"
„Ich könnte Dich erwürgen!"

Ärger oder Wut gegenüber Kindern oder in ihrem Beisein zu äußern ist jedoch nicht grundsätzlich negativ. Im Gegenteil, Kinder müssen lernen, daß Eltern ärgerlich sein und lautstark Spannung abreagieren können – und sie selbst trotzdem nicht in Gefahr sind.

Elisabeth Kübler-Ross hat festgestellt, daß wirklicher Ärger 20 Sekunden anhält und mehr oder weniger viel Lärm um nichts bedeutet. Problematisch wird es erst dann, wenn die positiven Botschaften („Toll hast du das gemacht", „Wir haben dich schrecklich gern", „Wir werden immer für dich dasein") nicht ähnlich kräftig und verläßlich ausfallen. Denn obwohl wir liebevoll empfinden, teilen wir es oftmals nicht mit.

Fast jedes Kind wird von Herzen geliebt, doch viele Kinder wissen nichts davon; viele Erwachsene sterben mit der Überzeugung, daß sie für ihre Eltern nichts als eine Last und Enttäuschung gewesen sind. In der Familientherapie ist es einer der bewegendsten Augenblicke, wenn es gelingt, dieses Mißverständnis auszuräumen.

In Zeiten, in denen das Fundament, auf dem ein Kindesleben ruht, gefährdet ist, wenn ein Schwesterchen oder Brüderchen geboren wird, wenn eine Ehe zerbricht, wenn in der Schule der Erfolg ausbleibt, wenn sich für einen hoffnungsvollen Heranwachsenden keine Lehrstelle oder Arbeit findet – dann ist es wichtig, positive Botschaften zu vermitteln und diese durch Gesten zu bekräftigen. Eine auf die Schulter gelegte Hand und die unzweideutige Bestätigung im Blick können das Gesagte verankern: „Was immer auch geschieht, du bist jemand ganz besonderer und wichtiger für uns. Wir wissen, daß du sehr in Ordnung bist."

WAS MAN VERMEIDEN SOLLTE ...

Demütigende Äußerungen statt schlichter „Befehle", wenn es um die Disziplin geht:

"GIB DAS ZURÜCK, DU EGOISTISCHES
DUMMES GÖR ..."

Demütigende Äußerungen, auch wenn sie freundlich gemeint sind, zum Beispiel als Kosename:

"MEIN SÜSSER KLEINER TOLPATSCH, KOMM` HER,
ICH MACH` DAS FÜR DICH!"

Vergleiche:

"DU BIST GENAUSO SCHLECHT WIE DEIN VATER ..."
"WARUM KANNST DU NICHT SO LIEB UND BRAV
SEIN WIE DEIN KLEINER BRUDER ..."

Mit schlechtem Beispiel vorangehen:

"WILLST DU DICH VERDAMMT NOCHMAL ZUSAM-
MENNEHMEN!"
"WENN DU IHN NOCH EINMAL SCHLÄGST, SOLLST
DU MICH KENNENLERNEN!"

Stolz ein Verhalten preisen, das später zwangsläufig zu Problemen führen wird:

"ER HAT IHM EINE KRÄFTIGE ABREIBUNG ERTEILT, EIN ECHTER MÜLLER, DER KLEINE!"

Schuldgefühle wecken, um die Kinder zu kontrollieren:

"MEIN GOTT, DU MACHST MICH FERTIG. ICH FÜHLE MICH SO KRANK, DASS ICH AUF DER STELLE STERBEN KÖNNTE."
"SIEH' NUR, WAS DU DEINER MUTTER ANTUST!"

Ohne Äußerungen dieser Art werden Sie sich selbst und auch Ihre Kinder sich sehr viel besser fühlen.

An dieser Stelle könnte es sein, daß Sie Schuldgefühle bekommen, da Sie auch zuweilen so mit Ihren Kindern sprechen. Nehmen Sie sich die beschriebenen Ideen aber nicht zu sehr zu Herzen. Man kann noch viel tun, um alte Programmierungen zu überwinden – das ist selbst dann möglich, wenn Ihre Kinder schon erwachsen sind.

Drei Gründe, warum Eltern ihre Kinder in bestimmten Situationen demütigen

Zunächst einmal sollte man versuchen, sich selbst zu verstehen, also versuchen zu verstehen, warum Ablehnung zu einem Teil der eigenen Erziehungspraxis geworden ist. Fast jeder Elternteil lehnt dann und wann sein Kind unnötigerweise ab.

Es gibt drei Hauptgründe dafür:

- **Man sagt, was zu einem selbst gesagt wurde**

Das Elternsein lernt man nicht in der Schule: Wenn ein Kind geboren wird, fangen die meisten bei Null an und müssen selbst herausfinden, wie man am besten mit der neuen Situation fertig wird. Einziges Vorbild sind oft die eigenen Eltern.

Ich bin mir sicher, daß Sie schon einmal, nachdem Sie in einem erregten Augenblick losgebrüllt haben, die Einsicht hatten „Mein Gott, genau das haben meine Etern immer zu mir gesagt, und ich habe es gehaßt". Diese alten „Aufnahmen" kommen wie von einem „automatischen Piloten", und es bedarf der Geistesgegenwart und Übung, um in solchen Situationen tatsächlich so zu reagieren, wie man es sich eigentlich wünscht.

Andere Eltern sind so sehr von eigenen schmerzhaften Erinnerungen an ihre Kindheit geprägt, daß sie sich schwören, die eigenen Kinder nie zu schelten, zu schlagen oder es ihnen an irgend etwas fehlen zu lassen. Es könnte sein, daß solche Eltern mit ihrer Fürsorge übertreiben und ihre Kinder unter mangelnder Führung leiden. Einfach ist das alles wirklich nicht, oder?

- **Sie dachten, daß es das Richtige sei!**

Früher war die Auffassung durchaus nicht unüblich, daß Kinder grundsätzlich schlecht seien und daß es richtig sei, ihnen das auch ins Gesicht zu sagen. Aus Scham würden diese dann ihr Verhalten bessern!

Vielleicht wurden Sie selbst so erzogen. Und jetzt, da Sie ebenfalls zum Vater oder zur Mutter geworden sind, kommt es Ihnen gar nicht in den Sinn, zu erwägen, daß Selbstwertgefühl und Selbstvertrauen wichtig für die kindliche Entwicklung sind. Wenn das so ist, so hoffe ich, daß diese Zeilen Sie wachgerüttelt haben. Nachdem Ihnen bewußt geworden ist, wie sehr jede Form der Demütigung Kinder schädigt, bin ich sicher, daß Sie in Zukunft alles daran setzen werden, solche zu vermeiden.

- **Sie sind mit Ihren Kräften am Ende**

Wenn Sie in Geldnöten, wenn Sie überarbeitet oder gelangweilt sind oder wenn Ihnen zu Hause die Decke auf den Kopf fällt, dann ist es sehr viel wahrscheinlicher, daß Sie mit Ihren Kindern negativ kommunizieren.

Die Gründe liegen auf der Hand: Wenn wir aus irgendeinem Grund unter Druck stehen, bauen wir eine körperliche Spannung auf, die nur auf die Entladung wartet. Tatsächlich erleichtert es, wenn wir auf jemanden losgehen können – sei es mit Worten oder Handlungen.

Kinder leiden besonders, denn es ist leichter, den aufgestauten Ärger an ihnen als am Ehepartner, Vermieter, Vorgesetzten oder irgendeinem anderen Erwachsenen, der sich besser wehren kann, abzureagieren.

Man sollte der schlechten Laune einmal auf den Grund gehen: Warum bin ich so angespannt? Über wen habe ich mich eigentlich wirklich geärgert?

Ein Zornesausbruch zeigt meist nur kurzfristig Wirkung. Wahrscheinlich ist, daß sich das Kind danach noch schlechter verhält. Dennoch verschafft so ein Ausbruch dem Erwachsenen im Augenblick ein Gefühl der Erleichterung.

Wenn das passiert, ist es lebenswichtig, daß Sie lernen, auf ungefährliche Art Dampf abzulassen.

Spannungen kann man auch anders und effektiver abbauen

Man kann Spannung durch intensive Aktivität entladen – indem man z. B. eine Matratze mit den Fäusten traktiert, eine anstrengende körperliche Arbeit angeht oder einen langen Spaziergang unternimmt.

Das ist nicht einfach so leicht dahingesagt – manches Leben eines Kindes wurde allein deshalb gerettet, weil der aufgebrachte Elternteil es in sein Zimmer sperrte und bei einem langen Spaziergang wieder zur Vernunft kam.

Spannung kann sich in einem Gespräch mit einem Freund oder durch die Zuwendung des Partners (wenn man das Glück hat, einen zu haben) abbauen. Mit Joga, Sport oder Massagen kann man ebenfalls sehr gut für Entspannung sorgen.

Viele Eltern müssen erst noch lernen, daß es genauso wichtig ist, für sich selbst wie für die Kinder zu sorgen. Tatsächlich tun Sie mehr für Ihre Kinder, wenn Sie jeden Tag etwas Zeit für sich selbst (Ihre Gesundheit, Ihre Entspannung) reservieren, als wenn Sie ununterbrochen im Dienste Ihres Kinde stehen.

Damit sollen aber genug der unangenehmen Verhaltensweisen angesprochen sein. Fortan wird das Buch ausschließlich davon handeln, wie Kindererziehung leichter von der Hand geht!

Man kann sich ändern – viele Eltern haben mir erzählt, daß sie nur im Radio oder bei einem Vortrag von den beschriebenen Mechanismen gehört haben und daß sie ihr Verhalten dadurch bereits ändern konnten.

Schon während Sie das Bisherige gelesen haben, haben sich vielleicht Ihre Ansichten geändert. Sie werden bemerken, daß Sie gelöster und positiver mit Ihren Kindern umgehen können – und das, ohne sich besonders darum bemühen zu müssen.

Das verspreche ich Ihnen!

Ich geb' dir gleich was Verrücktes!

Haben Sie sich jemals selbst zugehört, wenn Sie mit Ihren Kindern sprechen – und kaum glauben können, was Sie da alles von sich geben? Vieles von dem, was wir zu unseren Kindern sagen, ist, nun ja, ganz eindeutig

verrückt! Ein bekannter schottischer Komiker parodierte einmal einige typische Eltern-Kind-Dialoge: „Mami, darf ich ins Kino gehen?" „Kino? Ich geb' dir gleich Kino!" „Darf ich dann ein Brot haben?" „Brot? Ich semmel' dir gleich eine!" Die meisten von uns können sich an solche Sätze aus Kindertagen erinnern, Sätze, die überhaupt keinen Sinn machten, etwa: „Nimm dich doch endlich zusammen, junger Mann ... Wenn du nicht bald zur Vernunft kommst ... Dein Grinsen wird dir schon noch im Hals stecken bleiben ... Ich werd' dich lehren, mich zum Narren zu halten ..." und so weiter. Wen wundert's, daß manche Menschen später ein bißchen seltsam werden.

Vor einiger Zeit besuchte ich eine Grundschule, in der Eltern mit ihren Sprößlingen an einer neuen Spielgruppe teilnehmen wollten. Während wir auf den Beginn warteten, fing ein aufgeweckter und lebhafter Junge an, Material für den Mathematikunterricht aus einem Regal zu räumen. Woraufhin ihn seine gestreßte Mama anfauchte: „Wenn du das anfaßt, schneidet dir der Lehrer die Finger ab!"

Nun, jeder kann sich die Gründe vorstellen, die einen Erwachsenen dazu bewegen, einem Kind so etwas zu sagen: Wenn gar nichts mehr hilft, versuch's mit blankem Terror!

Wenn solche Schreckensbotschaften unvermittelt auf das Kind einhageln, was für Schlüsse wird es daraus ziehen? Entweder, daß die Welt verrückt und gefährlich ist, oder, daß es keinen Sinn macht, auf Mami zu hören, weil sie eine Menge Blödsinn verzapft. Wenn das kein glänzender Start in ein normales Leben ist! Sicher haben wir alle schon einmal versucht, unser Kind mit derlei Androhungen einzuschüchtern!

Einmal (ich gestehe es freimütig) sagte ich zu meinem zweijährigen Sohn, daß die Polizei böse auf ihn werde, wenn er sich nicht endlich anschnallen lassen wolle. Mir war heiß und ich war müde, und ich mag es gar nicht, wenn ich meinen 1,90 Meter großen Körper im Innern eines Autos verrenken muß, um einem rebellischen Kind den Sicherheitsgurt anzuschnallen. Ich griff auf einen billigen Trick zurück und bekam prompt die Quittung dafür!

Kaum hatte ich die Worte ausgesprochen, bereute ich es auch schon. Noch Tage später wurde ich mit Fragen wie „Haben die Polizisten Pistolen?", „Warten am Ende dieser Straße Polizisten?" gelöchert. Es war ein ziemlicher Kraftakt, ihm das Gefühl der Sicherheit zurückzugeben und ihn wieder mit den Damen und Herren in Grün zu versöhnen. Sicher ist es nicht so, daß wir unseren Kindern alles und jedes erklären oder so lange mit ihnen argumentieren müssen, bis uns die Luft ausgeht. Ein Satz wie „Weil ich es sage", muß manchmal einfach als Begründung ausreichen. Aber man erreicht gar nichts, wenn man ein Kind grundlos erschreckt.

„Na warte, wenn dein Vater nach Hause kommt...", „Du machst mich krank, ich gehe bald weg von zu Hause ...", „Du kommst ins Heim ...!" – Das sind Botschaften, die selbst das widerstandsfähigste Kind nicht schadlos und ohne Ängste übersteht.

In den ersten Lebensjahren sind wir Eltern die wichtigste Informationsquelle unserer Kinder, später wird unsere Glaubwürdigkeit hart auf die Probe gestellt. (Sobald Kinder nämlich andere Quellen zur Verfügung haben, fangen sie an zu vergleichen!) Es ist unsere Aufgabe, unseren Kindern ein realistisches, aber positives Bild dieser Welt zu vermitteln – ein Bild, auf das sie einmal bauen können, wenn sie hinausgehen, das sie innerlich festigt und sicher macht. Wenn sie in ihrem späteren Leben auf Betrug und Unehrlichkeit stoßen, werden sie zumindest wissen, daß nicht die ganze Welt so ist und daß es auch einige vertrauenswürdige Mitmenschen gibt – darunter Mami und Papi.

Es kommt darauf an, wie man es sagt
Positive Formulierungen machen Kinder selbstbewußt

Das Selbstvertrauen eines Kindes wird nicht allein durch Lob oder Herabsetzen bestimmt; wir beeinflussen unsere Kinder auch auf andere Weise. Wir können etwas negativ oder positiv erklären oder „befehlen".

Wir Erwachsene kommentieren unser Verhalten und unsere Gefühle ununterbrochen mit „Selbstgesprächen", Gedanken wie „Ich darf nicht vergessen zu tanken", „Jetzt hab' ich schon wieder meinen Geldbeutel vergessen, langsam werde ich wirklich alt" usw. Psychologen haben festgestellt, daß zwischen der Art und Weise, wie gesunde, glückliche und kranke, bedrückte Menschen mit sich reden, ein gewaltiger Unterschied besteht. Diese Selbstgespräche übernehmen Kinder direkt von ihren Eltern und Lehrern.

Dadurch ergibt sich aber auch eine Gelegenheit, den eigenen Kindern positive und nützliche Informationen mitzugeben. Indem diese verinnerlicht werden, bilden sie ein Sicherheit und Zuversicht verleihendes Gerüst für das spätere Leben. Schritt für Schritt lernen Kinder, sich selbst innerlich zu führen und zu ordnen. Und zwar auf genau die Art und Weise, wie wir sie mit unseren Worten führen und ordnen – es zahlt sich also aus, positiv zu formulieren. Wir können zum Beispiel sagen „Laß dich um Himmels willen heute in der Schule nicht schon wieder auf eine Rauferei ein" oder wir können sagen „Ich wünsch' dir alles Gute heute in der Schule, spiel' am besten nur mit den Kindern, die du magst". Warum dieser kleine For-

mulierungsunterschied so wichtig ist? Weil der menschliche Geist so funktioniert. Wenn Ihnen jemand eine Million Mark anböte dafür, daß Sie zwei Minuten lang nicht an einen blauen Affen denken – Sie würden es nicht schaffen! (Versuchen Sie es nur, wenn Sie mir nicht glauben!). Wenn einem Kind gesagt wird: „Fall' nicht vom Baum", dann muß es zwei Dinge denken: „nicht" und „vom Baum fallen". Weil wir diese Worte gebraucht haben, wird automatisch dieses Bild heraufbeschworen. Was wir denken, wird automatisch mit Bildern und Gefühlen belegt. (Stellen Sie sich vor, Sie beißen voll in eine Zitrone – achten Sie darauf, wie Sie bereits auf diese Phantasievorstellung hin reagieren!) Ein Kind, das sich lebhaft vorstellt, wie es vom Baum fällt, wird wahrscheinlich tatsächlich herunterfallen. Viel besser wäre eine positive Formulierung: „Halte dich gut am Baum fest", „paß auf, wohin du deinen Fuß als nächstes setzen willst".

An jedem Tag bieten sich Dutzende von Gelegenheiten, positiv zu formulieren: Statt „Lauf' nicht auf die Straße" ist es einfacher und besser zu sagen „Bleib' hier auf dem Bürgersteig mit mir" – das Kind kann sich somit vorstellen, was es *tun* soll, und muß sich nicht vorstellen, was es *nicht tun* soll.

Geben Sie Ihren Kindern klare Anweisungen, wie die Dinge richtig gemacht werden. Kinder wissen nicht immer, was sie gefährdet und was nicht. Wenn Sie also sagen: „Petra, halte dich mit beiden Händen am Bootsrand fest", dann ist dieser Satz nützlicher als wenn Sie äußern „Fall' bloß nicht ins Wasser" oder noch schlimmer „Wie, glaubst du wohl, ergeht es mir, wenn du ertrinkst?". Die Veränderung der Wortwahl ist zwar nicht groß, der Unterschied aber doch offensichtlich.

Positiv zu formulieren, lernt man natürlich nicht über Nacht, aber man kann es trainieren. Jeder, der positiv formuliert, hilft seinem Kind, positiv zu denken und zu handeln – und damit mit einer Vielzahl von Situationen zurechtzukommen, weil das Kind weiß, was es tun soll, und nicht vor Angst paralysiert ist, weil es etwas nicht tun soll.

Was Kinder wirklich wollen
Billiger als Videospiele und gesünder als Eis

Millionen von Eltern fragen sich immer wieder ...

WARUM ?

Warum spielen sich Kinder in den Vordergrund? Warum wollen sie immer dorthin, wo sie nicht hin sollen, machen immer die Dinge, die ihnen verboten wurden, raufen miteinander, ärgern sich gegenseitig, gehorchen nicht, provozieren, widersprechen, hinterlassen immer ein Chaos, ja scheinen es ganz allgemein dar-

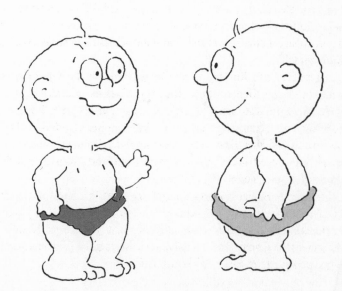

auf abgesehen zu haben, Mami und Papi in den Wahnsinn zu treiben? Warum scheinen einige es geradezu zu genießen, wenn sie sich in Schwierigkeiten bringen können?

In diesem Kapitel erfahren Sie, was in „unartigen" Kindern vor sich geht, und daß „schlechtes" Verhalten eigentlich die Folge von guten (und gesunden) Kräften ist, die lediglich fehlgeleitet wurden.

Nach der Lektüre dieses Kapitels werden Sie nicht nur die Gründe für das unartige Verhalten Ihres Nachwuchses begreifen, sondern auch in der Lage sein, dessen Verhalten im Ansatz zu steuern und umzulenken – und sich selbst und Ihre Kinder glücklicher zu machen.

Sie glauben mir nicht? Lesen Sie weiter!

Es gibt nur einen Grund, warum Kinder ungezogen sind: Sie haben unerfüllte Bedürfnisse. „Was fehlt ihnen denn?", werden Sie sich fragen, „Ich füttere sie, ziehe sie an, kaufe ihnen Spielzeug, halte sie warm und sauber ..."

Nun, es gibt da noch ein paar Extras (die glücklicherweise sehr billig zu besorgen sind), die über diese „Grundbedürfnisse" hinausgehen. Diese geheimnisvollen zusätzlichen Bedürfnisse sind unabdingbar, nicht nur, um Kinder glücklich zu machen, sondern auch, um das Leben überhaupt zu erhalten. Vielleicht erkläre ich das am besten anhand einer Geschichte:

Als 1945 der Zweite Weltkrieg endete, lag Europa in Trümmern. Eines der vielen menschlichen Probleme, die zur Lösung anstanden, war, was mit den Tausenden von Waisen geschehen sollte, deren Eltern entweder im Krieg getötet oder auf Dauer von ihnen getrennt worden waren.

Die Schweiz, die es verstanden hatte, sich aus dem Krieg herauszuhalten, sandte ihre Helfer aus; einer von ihnen, ein Arzt, wurde damit beauftragt, zu erforschen, wie man sich am besten um die Waisenkinder kümmern könnte.

Er bereiste ganz Europa und stieß dabei auf unterschiedliche Situationen, in denen Waisen aufgezogen wurden. Mancherorts waren von den Amerikanern Feldhospitäler eingerichtet worden, in denen die Säuglinge in rostfreien Stahlkrippen lagen, wo es absolut hygienisch zuging und alle vier Stunden das mit Vitaminen angereicherte Milchpulver von Krankenschwestern in blitzsauberen Uniformen verabreicht wurde.

Andernorts wurden die Kleinkinder einfach in Lastwagen in ein entlegenes Bergdorf gekarrt und den Dorfbewohnern überlassen. In der Gesellschaft anderer Kinder, umgeben von Hunden und Ziegen und in den Armen der Dorffrauen wurden sie dort aufgezogen.

Der Schweizer Arzt mußte die Kinder weder wiegen noch gar deren Bewegungskoordination prüfen, ein Lächeln einfangen oder den Augenkontakt suchen – wie es heute üblich ist –, nein er stützte sich in jenen Tagen der Grippeepidemien und Durchfallerkrankungen auf die einfachste aller Statistiken – die Sterblichkeitsrate. Und er machte eine überraschende Entdeckung ... Während ganz Europa von Epidemien heimgesucht wurde und viele Menschen starben, ging es den Kindern in der rauhen Dorfwelt weit besser als ihren wissenschaftlich umsorgten Gegenstücken in den Krankenhäusern!

Er fand bestätigt, was seit alters her gewußt, aber mit der Zeit vergessen worden war: Kinder brauchen Liebe, um zu leben.

Kinder brauchen Liebe, um zu leben

Die Kinder in den Feldhospitälern hatten alles, nur keine Zärtlichkeit und Anregung. Die Kinder in den Dörfern wurden öfter

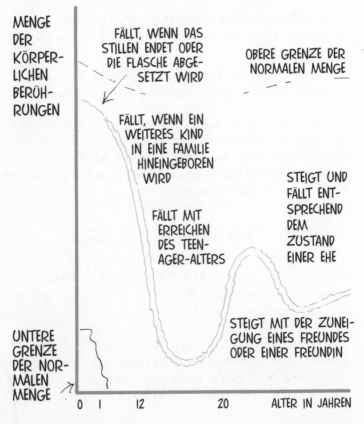

50

umarmt und geschaukelt, konnten viele Dinge und Vorgänge beobachten und entwickelten sich, solange auch ihre Grundbedürfnisse erfüllt wurden, prächtig.

Natürlich sprach der Arzt nicht wörtlich von Liebe (solche Worte machen Wissenschaftler nervös), aber er definierte sie deutlich. Wesentlich war seiner Ansicht nach:

- **häufiger Hautkontakt mit zwei oder drei Bezugspersonen;**

- **sanfte, aber zugleich robuste Bewegungen wie beim Herumtragen, beim Hoppe-Hoppe-Reiter-Spiel auf den Knien etc.**

- **Augenkontakt, Lächeln und eine farbenfrohe, belebte Umgebung; Geräusche wie Musik, Singen, Reden etc.**

So wurde erstmalig die Erkenntnis schriftlich und wissenschaftlich belegt, daß Kleinkinder zum Überleben menschlichen Kontakt und Zuneigung brauchen (es reicht nicht aus, daß sie ernährt, warm und sauber gehalten werden). Bekommen sie das nicht, können sie leicht sterben.

Was aber sind die Bedürfnisse älterer Kinder?

Sehen Sie sich die Kurve auf der vorherigehen Seite an, anhand derer ich festhalte, wieviele Berührungen (richtig, wieviele körperliche Berührungen) im Durchschnitt ein Mensch während seines Lebens erhält.

Bedenken Sie aber: Das beschreibt nur die durchschnittliche Situation. Wer weiß, wieviele Berührungen wir wirklich brauchen – vielleicht sollte die Kurve eine Linie sein, die gerade von links nach rechts verläuft. Der starke Abfall im Alter von zwei

und drei Jahren ist nicht verwunderlich. Normalerweise kommt dann ein zweites (oder ein drittes oder viertes) Kind hinzu, und die Zuneigung der Eltern muß geteilt werden, was allen Betroffenen Schwierigkeiten bereiten kann!

Säuglinge mögen es gerne, wenn sie berührt und umarmt werden. Kleinkinder mögen es auch, sind aber wählerischer, was die Person des Umarmenden betrifft. Teenagern ist es etwas peinlich, umarmt zu werden, doch insgeheim werden sie zugeben, daß sie Zärtlichkeiten genauso mögen wie alle anderen. In späteren Jahren können sie von besonderen Formen der Zärtlichkeit gar nicht genug kriegen!

Auch Erwachsene brauchen Zärtlichkeit

Ich habe einmal bei einem Vortrag vor etwa 60 Erwachsenen die Anwesenden gebeten, die Augen schließen und die Hand heben, um anzuzeigen, ob sie täglich weniger Zärtlichkeit erhielten, als sie gerne hätten – alle Hände gingen in die Höhe. Nach einer Minute begann der eine oder andere, sich heimlich umzusehen, und bald hallte der Raum wieder von gemeinsamem Lachen. Aus dieser sorgfältigen, wissenschaftlichen Feldstudie schließe ich, daß auch Erwachsene Zärtlichkeit brauchen.

Neben körperlicher Berührung kann man liebevolle Gefühle natürlich auch mit Worten oder anders ausdrücken.

Jeder braucht Anerkennung, Beachtung und – am besten echt gemeintes Lob. Jeder möchte in Gespräche mit einbezogen werden, möchte, daß man seinen Ideen lauscht, möchte am liebsten sogar die Bewunderung der anderen erregen.

Dreijährige sagen es geradeheraus: „Schau her zu mir!" Das gefüllte Bankkonto allein bereitet nur wenigen reichen Leuten Vergnügen, erst das Herzeigen und die Wahrnehmung durch andere macht ihnen Spaß. Die Vorstellung, daß die Erwachsenenwelt sich zum Großteil wie ein Dreijähriger verhält und immerzu ruft: „Schau her, Papi!" ist zu komisch. Ich bin natürlich eine Ausnahme – ich halte Vorträge und schreibe Bücher allein wegen meiner reifen und erwachsenen Berufung!

Wesentlich ist und bleibt, daß unsere Kinder mehr brauchen als die Befriedigung aller körperlichen Bedürfnisse.

Die Psyche der Kinder hat ganz einfache, aber wesentliche Bedürfnisse: Kinder brauchen die Zuwendung und Anregung anderer Menschen. Sie brauchen einen täglichen Anteil an Gesprächen, in denen sie Zuneigung und etwas Lob erfahren, um glücklich zu sein. Und wenn das Kind seinen Anteil mit uneingeschränkter Aufmerksamkeit und nicht zögernd nebenbei, z.B. während des Bügelns oder Zeitunglesens, erhält, muß das nicht einmal viel Zeit in Anspruch nehmen.

Viele von Ihnen haben jedoch bereits ältere Kinder oder Teenager, und Sie werden bei sich denken: „Aber meine Kinder haben sich bereits unmögliche Verhaltensweisen angewöhnt, um Aufmerksamkeit zu erregen. Kann ich denn jetzt überhaupt noch etwas dagegen tun?"

Kinder wollen etwas Interessantes zu tun haben

Hier deshalb wieder eine Geschichte: Früher arbeiteten die Psychologen in weißen Kitteln und beschäftigten sich hauptsächlich mit Ratten (heute tragen sie Sportjacken und Pullover und arbeiten hauptsächlich mit Hausfrauen – ein unverkennbarer Fortschritt!). Die sogenannten „Ratten-Psychologen" fanden deshalb so viel über Verhaltensmuster heraus, weil sie mit Ratten machen konnten, was sie mit Kindern nicht machen konnten. Lesen Sie weiter, und Sie werden verstehen, was ich meine.

In dem Experiment, von dem ich erzählen will, wurden die Ratten in einen besonderen Käfig gesperrt, in dem sie Essen,

Trinken und einen Hebel vorfanden. Sie aßen, tranken und liefen umher, bis sie sich ebenfalls die Frage stellten, die Sie sich gerade stellen:

„Was hat es wohl mit dem kleinen Hebel auf sich?" Sie drückten also neugierig auf den Hebel (wie Kinder wollten sie alles einmal ausprobieren), und zu ihrer Überraschung öffnete sich ein kleines Fenster in ihren Käfig, durch das sie einen Film anschauen konnten, der gegen die Laborwand projiziert wurde. Das Fenster schloß sich bald wieder, und die Ratten mußten den Hebel erneut betätigen, um mehr von dem Film sehen zu können.

Die Ratten waren bereit, selbst sehr schwere Hebel zu betätigen, um den Film im Blickfeld zu behalten; was uns zum ersten Prinzip führt: Intelligente Geschöpfe wie Ratten (und Kinder) wollen etwas Interessantes zu tun haben. Das fördert das Wachstum ihres Gehirns.

- **Kinder wollen etwas Interessantes zu tun haben. Das fördert das Wachstum ihres Gehirns.**

Dann steckten die Wissenschaftler ihre Ratten in einen anderen Käfig, in dem sie Essen und Trinken, aber keinen Hebel und kein Fenster vorfanden. Eine Zeitlang waren es die Ratten zufrieden, doch dann fingen sie an, sich schlecht zu benehmen!

Sie knabberten die Wände an, rauften miteinander, rieben sich den Pelz ab, wurden ganz allgemein zu bösen Ratten! Was uns zum zweiten Prinzip führt: Intelligente Geschöpfe wie Ratten (und Kinder) werden alles tun, was ihre Langeweile vertreibt, auch wenn wir das als dumm oder zerstörerisch erachten.

- **Kinder werden alles tun, was ihre Langweile vetreibt, auch wenn wir das dumm oder zerstörerisch finden.**

Schließlich wurden die Wissenschaftler richtig unangenehm. Sie versuchten es mit einem Käfig, in dem sich Essen und Trinken befand, über dessen Boden aber auch dünne Drähte gespannt waren und an eine Batterie angeschlossen wurden. Ab und zu sandten die Wissenschaftler einen Stromstoß durch die Drähte, der die kleinen Geschöpfe aufschreckte, aber nicht verletzte (Sie verstehen nun, warum man das Experiment nicht mit Kindern machte).

Dann kam der aufregendste Augenblick. Die Ratten wurden aus den Käfigen genommen, und sie konnten wählen, in welchen Käfig sie zurückkehren wollten. Vielleicht möchten auch Sie eine Vermutung wagen, wohin die Ratten am liebsten, am zweitliebsten und zuallerletzt gingen – deshalb hier noch einmal die drei Möglichkeiten:

1. **Käfig mit Essen, Trinken und Film**
2. **Käfig mit Essen und Trinken**
3. **Käfig mit Essen, Trinken und Elektroschocks**

Was haben Sie vermutet? Klar, die Ratten mochten den Film am liebsten. Wenn Sie das nicht erraten haben ... marsch, marsch zurück an den Anfang des Buches! Was die Ratten aber als zweitbeste Alternative wählen würden, war natürlich die interessanteste Frage des Experiments: Sie gingen lieber in den Käfig mit den Elektroschocks, als in den, in dem sie nur Essen und Trinken vorgefunden hatten! Was uns zum dritten Prinzip führt, einem für Kinder wirklich wichtigen Prinzip: Intelligente Geschöpfe wie Ratten (und Kinder) nehmen lieber in Kauf, daß etwas Unangenehmes mit ihnen passiert, als daß gar nichts passiert, denn jede Anregung oder Aufregung ist ihnen lieber als keine, auch wenn einige Schmerzen damit verbunden sind.

- **Kinder nehmen lieber in Kauf, daß Unangenehmes mit ihnen passiert, als daß gar nichts passiert.**

Wenn ein Kind wählen könnte zwischen Nichtbeachtung und Schelte oder gar Schlägen, was glauben Sie, würde es wohl vorziehen? Was ziehen Ihre Kinder vor? Für ein Kind, das ein-, zweimal am Tag positive Zuwendung erhält, wird natürlich keine der genannten Alternativen attraktiv sein.

Ich möchte dieses Kapitel mit einer weiteren Geschichte beschließen – einer Geschichte über Kinder wohlgemerkt, die keiner Erläuterung bedarf, weil ich Sie für cleverer als Ratten oder Kinder einschätze.

Ein wohlhabendes Ehepaar hatte zwei Söhne im Alter von neun und elf Jahren. Den Jungen stand ein perfekt ausgestatteter Spielraum im Souterrain des Einfamilienhauses zur Verfügung, mit Billardtisch, einem Eisschrank voller Getränke und mit einem Plattenspieler (wären Videospiele damals schon erfunden gewesen, hätten sie diese sicher auch gehabt). Allerdings stritten sich die Kinder permanent und in solchem Ausmaß, daß es den Eltern schließlich peinlich wurde, Gäste einzuladen.

Deshalb wandten sie sich an ein Institut für Verhaltensforschung, um das Problem mit der Hilfe von Psychologen anzugehen. Die Psychologen sagten: „Wir beschäftigen uns zwar meistens mit Ratten, aber wir können einmal vorbeikommen und uns die Sache anschauen." Man machte einen Termin aus. Den Eltern kam zwar alles etwas seltsam vor, aber sie waren so sehr daran interessiert, dieses Problem, das ihr gesellschaftliches Leben in Mitleidenschaft zog, zu lösen, daß sie ihre Bedenken in den Hintergrund stellten.

Am verabredeten Tag tauchte ein Psychologenteam auf und verteilte sich mit Notizblöcken und Stoppuhren im ganzen Haus. Am Abend war eine Cocktail-Party geplant, und so hielten sich einige Psychologen oben bei den Erwachsenen auf und andere bei den Jungen im Souterrain, wo sie still in einer Ecke saßen und sich Notizen machten. Gegen 19 Uhr, so notierten die Beobachter, warf die Mutter einen Blick zur Treppe ins Souterrain und dann zu ihrem Ehemann. Gleichzeitig notierten die Beobachter im Souterrain, daß die Jungen, die sich bis dahin mit verschiedenen Spielen beschäftigt hatten, anfingen, miteinander zu raufen. Allerdings war die Rauferei ziemlich ungewöhnlich und glich eher einem Bühnenspektakel oder einer Art Tanz. Das Wehgeschrei, das den Kampf begleitete, klang aber überzeugend echt!

Der Vater erschien denn auch alsbald am Treppenabsatz und schimpfte heftig. Die Psychologen hatten ihn aufgefordert, sich wie sonst auch zu verhalten – keine leichte Aufgabe, wie man sich denken kann.

Die Psychologen im Souterrain machten sich eifrig Notizen, denn sie beobachteten etwas Einzigartiges. Die Buben lauschten der Schelte ihres Vaters zwar sichtlich beeindruckt, doch um ihre Mundwinkel spielte ein leichtes, merkwürdig verzogenes Lächeln – ein Gesichtsausdruck, der berühmt wurde und heute von den Psychologen „Mona-Lisa-Lächeln" genannt wird.

- **Ein Gesichtsausdruck, der berühmt wurde und in der Kinderpsychologie heute als „Mona-Lisa-Lächeln" bezeichnet wird.**

Kinderpsychologen wissen, daß dieses halbe Lächeln eine geheime Botschaft beinhaltet, die lautet: „Ich sollte mich zwar schlecht fühlen und ich versuche ganz fest, reumütig auszuschauen, aber irgendwie freue ich mich zugleich!" Eltern ist dieser Zusammenhang nie klar geworden, auch wenn sie darauf mit jenem berühmten Elternsatz „Laß das Grinsen, wenn ich mit Dir spreche!" unwissentlich reagieren. Die Jungen im Souterrain bekamen von ihrem Vater in diesem Moment mehr Zuwendung geschenkt, als den ganzen Tag über – und hatten Mühe, ihr Vergnügen daran zu verbergen.

Die Psychologen gingen zurück in ihr Labor und stellten einen detaillierten Bericht zusammen, den sie anschließend mit den Eltern besprachen. Den Inhalt ihrer Ratschläge werden Sie vermutlich schon erraten haben: „Das gesellschaftliche Leben nimmt Sie zu sehr in Anspruch, die Jungen brauchen mehr Aufmerksamkeit. Sie mögen ihren Vater, weil er für sie wie für alle Jungen in diesem Alter ein großes Vorbild darstellt. Sie raufen miteinander, weil sie so garantiert die Aufmerksamkeit des Vaters erregen."

Die Psychologen hatten recht, doch sie konnten die Eltern nicht überzeugen, vielmehr hielten diese deren Meinung für ausgemachten Unsinn. „Sie wollen uns erzählen, daß die Kinder es mögen, wenn sie geschimpft werden?" Diese Eltern wußten eben nichts von den Versuchen mit Ratten und Elektroschocks, und schon gar nichts vom Mona-Lisa-Lächeln.

Also brachten sie die Söhne zu einem Psychiater, der zwei Jahre lang ihre Träume analysierte, schließlich aufgab und sie mit zum Golfspielen nahm – was sie natürlich kurierte! Das Obengesagte können wir also ganz einfach zusammenfassen:

- **Kinder verhalten sich auffällig,
  wenn sie sich langweilen.**

Können Sie etwas tun, das Ihren Kindern mehr Anregung verschafft? Laden Sie die Freunde Ihrer Kinder ein, schließen Sie sich einer Spielgruppe an, besorgen Sie neues Spielzeug (zum Beispiel aus der Stadtbibliothek), richten Sie eine Kiste mit den unterschiedlichsten Dingen her, die zu Phantasiespielen anregen.

- **Kinder verhalten sich auffällig,
  weil sie sich abgelehnt fühlen.**

Können Sie etwas Zeit damit verbringen, Ihren Kindern Ihre uneingeschränkte, positive Aufmerksamkeit zu schenken, am besten verbunden mit Körperkontakt? Fühlen Sie sich entspannt und glücklich genug, um ihnen das Gefühl von Sicherheit zu geben?

- **Kinder verhalten sich auffällig,
  um Aufmerksamkeit zu erhalten.**

Halten Sie Ausschau nach dem Mona-Lisa-Lächeln, ein Zeichen dafür, daß man den wahren Bedürfnissen der Kinder mehr Aufmerksamkeit schenken sollte.

Für Kinder ist Reden Gehirnnahrung ...

Im Schulalter können sich einige Kinder schon sehr gut ausdrücken und beherrschen ein umfangreiches Vokabular. Die sprachlichen Fähigkeiten anderer Kinder sind hingegen noch ziemlich eingeschränkt. Das kann ein echter Nachteil sein: vor allem, weil Lehrer dazu tendieren, Sprachentwicklung als Hinweis auf Intelligenz und andere Fähigkeiten zu werten, und die sprachlich weniger gewandten Kinder Gefahr laufen, bewußt oder unbewußt als „zurückgeblieben" eingestuft zu werden. Wie können Sie Ihren Kindern helfen, vielseitig mit Wörtern umzugehen – nicht aus falschverstandenem Ehrgeiz, sondern um sie in die Lage zu versetzen, für sich selbst zu sprechen? Im folgenden ein paar Tips ...

Bereits in den 50er Jahren hat man herausgefunden, daß Eltern entsprechend der Art und Weise, wie sie mit ihren Kindern sprechen, in zwei sehr unterschiedliche Gruppen eingeteilt werden können. Einige Eltern drücken sich gegenüber ihren Kinder kurz und abgehackt aus: „Andreas, mach' die verdammte Tür zu!", „Komm' her und iß!" und so weiter. Andere sind das genaue Gegenteil: „Christian Liebling, würde es dir etwas ausmachen, vielleicht die Tür zu schließen – der kleine Sebastian liegt sonst im Luftzug; bravo, so ist's gut!"

Man braucht kein Gelehrter zu sein, um zu erkennen, daß Christian nicht nur mehr Wörter zu hören bekommt als Andreas, sondern auch vielseitigere Satzgefüge (andererseits kennt Andreas vermutlich ein paar deftige Wörter mehr als Christian!).

Viele Eltern sind sich heute bewußt, daß es sinnvoll ist, mit ihren Kindern zu reden, Dinge zu erklären und einfach aus Vergnügen mit ihnen zu plaudern. Sie haben

DANN SAGTE ICH ZU IHR – ALSO, WENN *DAS* DEINE EINSTELLUNG IST ...

die erste Regel über Kinder und Sprache gelernt: Kinder verstehen immer mehr, als sie zeigen. Hier ein paar Tips, wie Sie die Sprachentwicklung Ihrer Kinder fördern können:

• Während der Schwangerschaft

Umgeben Sie sich und das Ungeborene mit den unterschiedlichsten Geräuschen. Wenn Sie sich danach fühlen, singen Sie ihm etwas vor und spielen Sie Musik (gleich in welcher Lautstärke). Als Vater sollten Sie häufig mit Ihrer Frau kuscheln und mit ihr reden, ja auch direkt zu dem Baby im Bauch! Auf diese Weise lernt das Baby Ihre männliche Stimme kennen und fühlt sich später sicher, wenn Sie es trösten wollen. Wiederholungen und leichte Wiedererkennensmöglichkeit unterstützen die Sprachentwicklung – zum Beispiel die einprägsame Melodie einer Fernsehserie.

• Solange sie noch Kleinkinder sind

Nach der Geburt ist es gut, weiterhin zu reden, zu singen und Musik zu spielen. Hin- und hergetragen und geschaukelt zu werden, wird dem Kind

ALSO, WO WAR ICH
STEHENGEBLIEBEN ...

Vergnügen bereiten und das Rhythmusgefühl stärken, das ein wesentliches Element des Sprechens ist. (Anhand von Filmaufnahmen hat man festgestellt, daß der Mensch während des Sprechens immer in Bewegung ist, ja daß es nahezu unmöglich ist, reglos zu sprechen). Ideal wäre es, wenn Sie Ihr Baby während der Arbeit in einem Tuch mit sich herumtragen könnten.

Während Sie den Tag mit Ihrem Kind verbringen, erzählen Sie ihm, was Sie gerade tun, verwenden Sie einfache Wörter, aber keinesfalls Babygebrabbel. Wiederholen Sie die Wörter, die Ihr Kind zu Ihnen sagt, damit es die richtige Aussprache mehrfach hört.

- **Wenn das Sprechen beginnt**

Die Worte eines Kindes sollten wiederholt und ergänzt werden, um es zu ermutigen und sein Bemühen zu unterstützen, die Wörter richtig auszusprechen: „Buppa!" „Willst du die Butter haben?" „Buppa haben", und etwas später „Budda geben, ja?", „Du willst, daß ich dir die Butter gebe?" „Butter mir geben!" und so weiter! Am besten versucht man ungezwungen, wie in einer Art Spiel, ohne Druck oder irgendwelche Erwartungen, die Formulierungen korrekt wiederzugeben.

Im Fernsehen habe ich kürzlich eine Sendung über hochbegabte Kinder gesehen. Mit gemischten Gefühlen, muß ich zugeben, denn die vorgestellten Kinder hatten zwar offensichtlich viel geleistet, einige von ihnen waren aber mit dem Erwachsenwerden auch ziemlich verschroben geworden.

Eine Familie jedoch hob sich von den anderen durch ihren ungezwungenen Umgang mit ihren Kindern ab. Die vier Töchter im Alter zwischen acht und sechzehn Jahren wirkten ausgeglichen und machten einen freundlichen, entspannten, keinesfalls abgehobenen Eindruck – dennoch waren sie gleichfalls außergewöhnlich fortgeschritten in ihren Fähigkeiten. Die Sechzehnjährige hatte die Volksschule einfach übersprungen (auf Vorschlag ihres Lehrers – die Eltern waren durchaus dafür gewesen, daß sie die Volksschule besucht) und arbeitete gerade an ihrer Doktorarbeit über die Zerstörung von Rückenmarkszellen.

Im Gespräch mit den Eltern meinte der Vater auf die Frage, wie sie solche Genies aufgezogen hätten: „An den Genen kann's wohl nicht gelegen haben, Samenbanken haben bei mir jedenfalls noch nicht angeklopft!« (tatsächlich war er durchschnittlich begabt). Und die Mutter fügte hinzu: „Wir haben ihnen nur die Dinge erklärt ...“ Während des Staubsaugens zum Beispiel habe sie das jeweils jüngste Kind immer auf dem Rücken getragen und ihm alles erklärt, was sie gerade macht: daß der Lärm vom Motor im Inneren des Staubsaugers käme, daß das ein elektrischer Motor sei, der sich schnell drehe, daß die Luft, die durch den Motor geblasen werde, den Lärm verursache und so weiter ...

Sie machte einen fröhlichen und natürlichen Eindruck, und man kann sich vorstellen, daß ihre Lektionen nicht schulmeisterlich, sondern eher nach dem Motto „Schau mal, ist das nicht interessant?" ausfielen. Wenn Sie Autofahrten oder das Einkaufen mit kleinen Kindern zuweilen ziemlich langweilig finden, dann kann diese Art der Plauderei solche Unternehmungen vielleicht etwas abwechslungsreicher machen – für beide Teile.

In unserer Familie stehen wir jetzt vor einem neuen Problem: Wir können unseren Vierjährigen kaum noch bremsen – er redet nur noch, ohne eine Pause!

Vater sein heißt, etwas zusammen unternehmen

Als unser Sohn noch klein war, wohnten wir an einer ruhigen Landstraße (und das heißt in Australien wirklich ruhig!), etwa 500 Meter vom Postamt und einem Einkaufsladen entfernt. An einem sonnigen Morgen benötigte man etwa zehn Minuten zu Fuß, um die Milch und die Post zu holen. Es sei denn, man hatte ein zweijähriges Kind dabei! Zweijährige denken nicht wie Erwachsene – sie wissen nichts von „langfristigen Zielen". Sie kümmern sich nicht einmal um die „als nächstes anstehende Aufgabe". Alles andere, aber nicht das. Über jeden Meter entlang des Weges muß zäh verhandelt werden!

Aus reiner Hingabe an die Wissenschaft machte ich einmal ein Experiment: Ich gab in allem nach und ließ „das Kind" alles erforschen – jedes Loch, jeden Graben, jede Pfütze, jeden toten Wurm und jeden Stein (wenn frühe Prägungen spätere Karrieren bestimmen, wird mein Sohn Rohan es im Abwasserkanalwesen weit bringen). Und so dauerte unser Ausflug zum Postamt geschlagene zweieinhalb Stunden! Das Erstaunlichste: Nach

einiger Zeit der Ungeduld machte es auch mir Spaß, alle Kleinigkeiten am Weg neu zu entdecken!

Aus allem, was wir über Familienstrukturen wissen, geht deutlich hervor, daß Kinder – vor allem Jungen – von dem Zusammensein mit ihren Vätern profitieren. Väter verhalten sich anders als Mütter, ergänzen deren

Verhaltensmuster. Und meistens heißt das Zusammensein mit dem Vater, etwas „zusammen machen". Das spielt sich nicht so ab wie im Kino oder wie bei den Waltons (ich bin sicher, diese Serie war auch in Deutschland zu sehen), wo man sich an den Tisch setzt und „offen alles miteinander bespricht". Anfang des Jahrhunderts mag das in den USA so gewesen sein – und wenn es noch so ist, umso besser –, bei uns in Australien jedenfalls (und ich vermute einmal, auch bei Ihnen in Deutschland) bekäme man Zustände, wenn man sich ständig so gegenübersäße. Meiner Auffassung nach brauchen Vertrauensbildung und Selbstmitteilung Raum, um sich zu entfalten. Familien auf dem Land erzählten mir, daß man durchaus miteinander rede und einander zuhöre, doch daß dies eher nebenbei geschehe, meist während man etwas zusammen erledigte, z.B. während man Holz auflade, am Auto bastle oder die Schafe reinhole.

Das Leben auf dem Land hat seine Vorteile. In der Stadt gibt es weniger zu tun, d.h. weniger, was eine gemeinsame Anstrengung erfordern würde. Man kann den Müll nur so und so oft zur Mülltonne bringen! Eltern, die in der Stadt leben, erzählten mir, daß der Kontakt mit den Kindern am

67

ehesten während der Autofahrten zum Klavierunterricht, zum Ballet, zum Sport oder zu anderen Hobbys zustandekomme.

Auf diesen Autofahrten bietet sich die Gelegenheit, zu fragen, wie es den Kindern geht, und mit ihnen losgelöst von ihrer – sie so beanspruchenden – Welt zu kommunizieren.

Unternehmungen mit Vätern sind für Kinder besonders wichtig. Die Gespräche wandern wie von selbst auch in tiefere Bereiche. Dinge kommen ganz plötzlich heraus, ja es ist wohl so, daß ein umgänglicher Vater die Lebensrichtung seiner Kinder tatsächlich beeinflussen kann – was viel besser ist, als wenn Hollywood oder die Jugendgruppe das für Sie erledigen.

- **Nicht erwarten, daß etwas erreicht oder abgeschlossen wird!**

Vor allem mit Kleinkindern (zum Beispiel auf dem Weg zur Post) ist der Weg das Ziel. Möchten Sie ihnen zeigen, wie man einen Schraubenzieher oder andere Werkzeuge benutzt, sollten Sie den Gedanken an die zu erledigende Arbeit fahren lassen. Geben Sie Ihrem Nachwuchs Gelegenheit, die Dinge zunächst einmal zu untersuchen. Nach einer Weile verliert Ihr Sprößling vielleicht das Interesse und Sie können die verlorene Zeit rasch wieder reinholen.

- **Dinge tun, bei denen Sie sich auch entspannt fühlen**

Wenn Ihnen die Kinder bei der Frühjahrssaat helfen, sollten Sie nicht den Anspruch auf einen makellosen Garten aufrechterhalten. Sie müssen sich entscheiden, ob Sie einige Zeit mit

Ihren Kindern verbringen oder eine Arbeit so schnell, wie Sie es gewöhnt sind, verrichten möchten. Wenn Sie beides gleichzeitig versuchen, bleiben Ihnen Frustrationen kaum erspart. Wenn ich am Computer schreibe, kann ich es nicht ausstehen, wenn man mich unterbricht. Also versuche ich gar nicht, mein Kind miteinzubeziehen.

• Das Elternsein genießen – es dauert nicht sehr lange!

Ich war in den Dreißigern, als mein Sohn auf die Welt kam, und bin mir bewußt geworden, daß meine Elternschaft nur von kurzer Dauer ist. Kommt er vorbei, während ich gerade beschäftigt bin, freue ich mich darüber und versuche, ihm dann gleich etwas beizubringen – Schreiben am Computer allerdings nicht!

Zusammenfassend heißt das:

Als Vater sollte man sich jedes Mal klar entscheiden, was im Augenblick wichtiger ist; manchmal sind das die Kinder, manchmal nicht. Wenn Sie sich aber für die Kinder entscheiden, dann profitieren Sie selbst auch davon, denn Sie müssen Ihre „Drehzahl herunterfahren" und entdecken aufs neue den Wert kleiner Freuden. Das ist das Geschenk, das Kinder bringen. Zeit, die man mit den Kindern verbringt, ist nie vergeudete Zeit!

Heilen durch Zuhören
Wie man Kindern hilft, in der rauhen
Wirklichkeit zurechtzukommen

Ihr Kind ist verstört. Irgend etwas ist passiert – in der Schule, mit einem anderen Kind oder einem Erwachsenen –, und Sie wissen nicht, wie Sie helfen können. Sie möchten Ihrem Kind einen Weg zeigen, mit dem Problem zurechtzukommen, möchten ihm zeigen, wie es sich besser vor Verletzungen schützen kann. In diesem Kapitel erfahren Sie, wie das zu bewerkstelligen ist.

Manchmal ist die Welt ein ungerechter und schwieriger Ort für Kinder, und wir Eltern können – so gerne wir das wollten – nicht alle Unebenheiten ausgleichen. Eigentlich sollten wir das auch nicht versuchen, denn oft reifen unsere Kinder erst durch die Auseinandersetzung mit schwierigen Menschen und Situationen zu unabhängigen Persönlichkeiten heran.

Zunächst einmal wollen wir uns ansehen, was wir vermeiden sollten, wenn unseren Kindern das Leben übel mitspielt, welche Äußerungen geradezu eine Mauer zwischen uns und ihnen entstehen lassen. Sodann werden Sie erfahren, wie man die bemerkenswerte Kunst des „aktiven Zuhörens" erlernt, eine Kunst, die vielen Eltern einen positiven Weg eröffnet hat, um ihren Kindern tatsächlich beiseite zu stehen.

Die bemerkenswerte Kunst des aktiven Zuhörens

Es ist ganz normal, daß Kinder ihre Probleme zur Sprache bringen und mehr oder weniger offen signalisieren, daß sie von den Eltern Hilfe bei deren Bewältigung erwarten. Die Art und Weise, wie Eltern auf solche Signale reagieren, fördert entweder das Vertrauen zwischen Eltern und Kindern oder läßt eine Kluft entstehen, die immer tiefer wird. Drei Verhaltensweisen von Eltern tauchen in diesem Zusammenhang immer wieder auf:

Bevormundung: „Du armes Ding, komm' laß mich das für dich erledigen."

Belehrung: „Du bist selbst schuld, daß du in diesen Schlamassel geraten bist. Ich werd' dir sagen, was da zu tun ist. Hör mir jetzt mal genau zu ..."

Ablenkung: „Naja, macht nichts, komm' wir gehen raus und spielen."

Welcher Stil kommt dem Ihren am nächsten? Treten sie als Retter auf, geben Sie weise Ratschläge oder wechseln Sie einfach das Thema? Schauen wir uns diese drei Arten der Auseinandersetzung einmal etwas näher an.

Bevormundung

„Wie war's denn heute?"

„Nicht so toll!"

„Ach du armes Ding. Komm' her und erzähl' mir alles."

„Wir haben 'nen neuen Mathe-Lehrer. Ich hab' kein Wort verstanden."

„Das ist aber schlimm. Soll ich dir nachher mit den Schulaufgaben helfen?"

„Die hab' ich liegen lassen."

„Soll ich morgen in der Schule anrufen und mit dem Direktor sprechen?"

„Also, ich weiß nicht ..."

„Glaubst du nicht auch, daß es besser ist, den Anfängen zu wehren, bevor alles noch schlimmer kommt?"

„Na ja ..."

„Ich will doch nicht, daß du in der Schule zurückfällst."

„Fffffhhhh ..."

Belehrung

„Wie war's denn heute?"

„Nicht so toll!"

„Du hast gut reden! Ich würde mir auch gerne mal einen schönen Tag machen, lernen und bequem in der Schule rumsitzen."

„Na ja, heute haben sie uns ganz schön rangenommen. Der neue Mathe-Lehrer ist ganz schön bescheuert ..."

„Rede bitte nicht in diesem Tonfall über deine Lehrer! Wenn du ein bißchen besser aufpassen würdest, würdest du alles mitbekommen. Du glaubst wohl, dir muß alles auf dem Servierteller präsentiert werden!"

„Fffffffhhhh ..."

Ablenkung

„Wie war's denn heute?"

„Nicht so toll!"

„Na Kopf hoch, so schlimm wird's schon nicht gewesen sein oder? Willst du ein Brot?"

„Danke. Ich mach' mir ein paar Sorgen wegen Mathe ..."

„Dein Vater und deine Mutter sind auch keine Einsteins, und du auch nicht. Komm', schau dir was im Fernsehen an, laß dich davon nicht unterkriegen."

„Fffffffhhhh ..."

Diese Beispiele haben mehrere typische Merkmale: Es redet fast ausschließlich der Erwachsene; das Gespräch endet ziemlich schnell; das Kind kommt nicht dazu, zum Kern der Sache vorzustoßen; seine Gefühle verpuffen im Verlauf des Gesprächs; der Erwachsene „löst" das Problem – oder glaubt es zu lösen; das Kind sagt immer weniger.

Vergleichen Sie damit das folgende Szenario:

75

Aktives Zuhören

„Wie war's denn heute?"

„Nicht so toll!"

„So schaust du auch aus. Was ist denn schiefgelaufen?"

„Ach, wir haben einen neuen Mathe-Lehrer. Der ist zu schnell."

„Machst du dir Gedanken, daß du da nicht mithalten kannst?"

„Ja, schon. Ich habe ihn gefragt, ob er mir eine Sache erklären könnte, und er sagte bloß, ich sollte besser aufpassen."

„Hmmm ... und wie hast du dich dabei gefühlt?"

„Ich war ganz schön wütend – die anderen haben mich auch noch aufgezogen ..., obwohl sie selber Probleme haben."

„Also ärgerst du dich darüber, daß du in Schwierigkeiten geraten bist, weil du dich als erster gemeldet hast."

„Ja, so vor den anderen vorgeführt zu werden, das mag ich gar nicht."

„Was willst du denn jetzt machen?"

„Ich bin mir nicht sicher; vielleicht frage ich ihn nochmal, wenn der Unterricht vorbei ist."

„Glaubst du, daß es dann besser läuft?"

„Ja schon, dann wäre mir das Fragen nicht so peinlich. Außerdem ist er wahrscheinlich auch ein bißchen unsicher. Vielleicht legt er deshalb so ein Tempo vor."

„Du meinst, daß er selber Probleme hat?"

„Ja, ich glaube, daß wir ihn einfach nervös machen."

„Kein Wunder, wenn er sich mit so schlauen Schülern wie dir rumschlagen muß!"

Das nennt man aktives Zuhören. Auch in solchen Fällen bleibt der Erwachsene nicht etwa schweigsam; er ist interessiert und zeigt dies auch, indem er die Gedanken und Gefühle des Kindes bestätigt und dem Kind hilft, sich die Sache selbst klar zu machen. Machen Sie sich diese Haltung zu eigen, dann werden Sie selten dazu verleitet, Lösungen anzubieten oder zur Rettung zu eilen („Ich rufe in der Schule an"), Ratschläge zu erteilen („Du solltest um Hilfe nachsuchen") oder das Kind von seinen Problemen abzulenken („na komm' schon, iß erst mal was").

Die Kunst des aktiven Zuhörens muß man etwas üben. In dem berühmten Buch von Thomas Gordon, *Familienkonferenz,* wird es näher erklärt.

Viele Eltern haben das aktive Zuhören auch insofern als Erleichterung empfunden, als es sie von dem Druck befreite, ihre Kinder immer glücklich machen und alle ihre Probleme lösen zu müssen. Durch aktives Zuhören können Eltern die Verantwor-

tung für die – und das Vergnügen an der – Lösungsfindung dem Kind überlassen. Hilfreich ist, wenn man sich die Frage stellt: „Könnte mein Kind langfristig davon profitieren, wenn es dieses Problem alleine löst?" Sie können Zeit, Klarheit und Verständnis anbieten, damit ein Problem in eine Lernerfahrung umgewandelt wird. Manchmal allerdings müssen Eltern auch aktiv eingreifen, wie die folgende Geschichte veranschaulicht.

Ein Freund von mir hat einen neunjährigen Sohn, der sich ein Bein brach und mehrere Wochen einen Gips tragen mußte. Als der Gips entfernt wurde, war er natürlich noch eine Zeitlang etwas wackelig auf den Beinen. Der Sportlehrer in der Volksschule ließ die Kinder eine Runde laufen, und der Sohn meines Freundes kam als letzter ins Ziel, was ihm peinlich war, weil er eigentlich ein guter Läufer ist. Der Lehrer ließ den Jungen, ohne auf eine Erklärung zu warten, noch einmal eine Runde drehen – in der Unterhose und vor der ganzen Klasse.

Als der Junge in Tränen aufgelöst nach Hause kam und seine Eltern erfuhren, was passiert war, wurden sie so zornig, daß sie noch am gleichen Abend den Schuldirektor aufsuchten und die Entlassung des Sportlehrers verlangten. Der Lehrer wurde tatsächlich an eine andere Schule versetzt, und wir können nur hoffen, daß dort nichts Ähnliches passiert. Das ist ein Fall, in dem die Eltern sich einmischen müssen. Sie müssen die Rechte ihrer Kinder verteidigen, wenn diese machtlos sind, sich selbst zu verteidigen. In manchen Fällen wollen die Kinder aber keine Hilfe, sondern nur Unterstützung. Sich dann einzumischen wäre tatsächlich verkehrt.

Johanna ist acht Jahre alt. Auf der Fahrt mit dem Bus nach Hause beobachtet sie, wie ein älterer Mann auf der anderen Seite des Ganges seinen Penis herausholt und sie merkwürdig anschaut. Sie geht nach vorne, steigt zwei Haltestellen früher aus und rennt nach Hause, um es ihrer Mutter zu erzählen. Johanna hat zwar Angst und ist peinlich berührt, die Mutter aber ist jetzt völlig aus dem Häuschen. Sie ruft den Direktor an. Am nächsten Tag wird eine Schulversammlung einberufen, und Johanna muß nach vorne kommen. Die Schüler werden gewarnt, und die Polizei kontrolliert in der kommenden Woche den Bus.

Johanna aber hilft keine dieser Aktivitäten. Ihr ist jetzt alles zehnmal so peinlich, und zornig ist sie auch. Sie wollte lediglich jemandem davon erzählen, wollte beruhigt, in den Arm genommen werden. Doch niemand fragte sie danach. Die Erwachsenen nahmen die Sache einfach in die Hand.

„Bloßes" Zuhören ist oft wirksamer als Medizin. Wenn wir uns zurückhalten können und nicht jeden Schmerz sofort „zupflastern", haben wir manchmal Zugang zu den Weiten der Kinderwelt.

Mariannne, sechs Jahre alt, war schlechter Laune. Eigentlich schien ihr schon seit Wochen eine Laus über die Leber gelaufen zu sein. Sie stritt sich öfter mit ihrem kleinen Bruder und wollte morgens nicht mehr in den Kindergarten gehen. Ihre Mutter bemühte sich, mit „aktivem Zuhören" herauszufinden, was Marianne auf dem Herzen hatte. Sie sagte: „Marianne, du schaust so traurig aus; willst du mir erzählen warum?" Marianne kam herbei, setzte sich auf ihren Schoß, sagte aber nicht viel.

Am nächsten Tag mußte Marianne zur „Abkühlung" ein paar Minuten in ihr Zimmer gesperrt werden, weil sie nicht aufhören wollte, den kleinen Bruder zu piesacken. Am Abend bemerkte der Vater: „Irgendwie scheint dir im Augenblick alles nicht zu passen."

Marianne warf ihrer Mutter einen bohrenden Blick zu und brach in Tränen aus: „Sie haben mich Igitt-Kopf genannt!" In den nächsten zehn Minuten wurde Marianne von Zorn und Tränen geradezu geschüttelt, ihre Mutter widerstand dem Verlangen, sie abzulenken oder aufzumutern. Tatsächlich hatte Marianne eine Narbe auf der Wange, die man eines Tages wegoperieren würde, im Augenblick aber mußte sie damit leben.

> Nachdem sie über die negativen Bemerkungen der Kinder im Kindergarten gesprochen hatte, war Marianne sehr viel friedfertiger geworden. „Ich bin doch nicht igitt, oder Mami?", „Im Gegenteil, du bist ganz toll!"

Manchmal möchten die Kinder, daß Sie etwas tun – versuchen Sie, sie dazu zu bringen, die Frage geradeheraus zu stellen.

> **Sebastian,** vierzehn Jahre alt, drückte sich ewig in der Küche herum und sah bedrückt aus. Endlich erzählte er seiner Mutter, nicht ohne sichtliche Verlegenheit, daß ein älteres Mädchen ihn gefragt habe, ob er die Nacht mit ihr im Hotel verbringen wolle! Seine Mutter hatte große Mühe, nicht über Jugendschutzvorschriften zu reden. Stattdessen fragte sie: „Ja, und was willst du jetzt machen? Du klingst ja so, als ob du dir ziemlich unsicher wärst." „Ich weiß auch nicht. Mami, würdest du mir verbieten hinzugehen? Bitte?"
> Sebastians Mutter war froh, daß sie ihm den Ausflug verbieten konnte. Und Sebastian war erleichtert, denn so hatte er in der Schule und vor dem Mädchen sein Gesicht gewahrt. Sebastians Mutter erzählte mir später, daß sie ihm in jedem Fall verboten hätte hinzugehen, sie wollte aber auch, daß er eine eigene Entscheidung traf. Eine mutige Frau!

Kinder und Gefühle

Was geht in einem Kind wirklich vor?

An dieser Stelle muß ich ein Geständnis machen: Der Titel des Buches „Das Geheimnis glücklicher Kinder" ist doch etwas idealistisch.

In der Erwachsenenwelt ist niemand immerfort glücklich, ja will es gar nicht sein. Ein solches Ziel für unsere Kinder anzustreben wäre denn auch falsch. Wer seine Kinder ununterbrochen glücklich machen will, erreicht eher das Gegenteil und macht letztendlich nicht nur sich selbst, sondern auch die Kinder unglücklich.

Was wir wirklich anstreben, sind Kinder, die die vielfältigen Gefühle, die das Leben mit sich bringt, zulassen und mit ihnen umgehen können. Glücklich sein ist zwar das Ziel, aber es ist wohl so, daß die Fähigkeit, mit Gefühlen zu leben und Gefühle zu erfahren, der beste Weg ist, dieses Ziel auch zu erreichen.

Ein Verständnis für Gefühle war bis zur Mitte unseres Jahrhunderts (zumindest in unserer Kultur) in der Kindererziehung kaum vorhanden. Die Ära des „Große Jungen weinen nicht" und „Mädchen sind nicht wütend" ist gerade erst vorbei. Wie Gefühle funktionieren, ist tatsächlich ein Feld, das großer Aufklärungsanstrengungen bedarf. Glücklicherweise sind „Fakten über Gefühle" inzwischen vorhanden und versetzen immer mehr Eltern in die Lage, ihren Kindern inneren Frieden und Vitalität zu geben – die Voraussetzungen für ein gesundes Gefühlsleben.

Was sind Gefühle?

In ihrer reinen Form sind Gefühle deutlich erkennbare Muster körperlicher Empfindungen, die während bestimmter Situatio-

nen erfahren werden. Ihre Intensität schwankt zwischen kaum
merklich und sehr stark. Gefühle begleiten uns, während wir die
täglichen Ereignisse in unserem Leben bewältigen, ununterbrochen, fließen hin und her, vermischen sich und trennen sich. Wir
fühlen fortwährend etwas – Gefühle sind Ausdruck des Lebens
selbst!

Es gibt vier Grundgefühle:

Wut, Furcht, Traurigkeit und Freude

Alle anderen Gefühle sind Mischungen dieser vier, ähnlich den
vielen Farben, die aus den Grundfarben Rot, Gelb und Blau
zusammengesetzt werden können. Tausende von Kombinatio-
nen sind möglich – Eifersucht zum Beispiel ist eine Mischung
aus Furcht und Wut, Nostalgie eine Mischung aus Traurigkeit
und Freude. Was sind wir doch für interessante Geschöpfe!

Erst mit der Geburt beginnen die Gefühle unserer Kinder
Gestalt anzunehmen. Wenn man genau hinsieht, kann man bei
einem Säugling in den ersten Monaten die Entwicklung deutlich
abgegrenzter Gefühlsregungen beobachten: Angstgeschrei, trä-
nenreiche Traurigkeit, rotgesichtige Wut und gurrende Freude.

Kleinkinder haben keine Hemmungen – sie drücken einfach
und spontan ihre Gefühle aus. Negative Gefühle halten deshalb
bei ihnen denn auch selten länger an. Mit dem Heranwachsen
aber müssen sie lernen, ihre Gefühle in einem sozialen Zusammenhang auszuleben und die mächtigen Energien, die Gefühle
verleihen, in konstruktive Bahnen zu lenken.

Und wir als Eltern können ihnen zeigen, wie das geht. Wenn
wir unsere Gefühle selbst erkennen und begreifen, warum sie
entstehen, wie man sie am besten ausdrückt und wie man sie
steuert, dann können wir auch eher nachempfinden, was die
Kinder bewegt.

Manchmal wünscht man sich fast, man hätte keine Gefühle – wäre das Leben dann nicht einfacher? Vor allem die negativen Gefühle wie Wut und Traurigkeit quälen uns oftmals. Warum nur hat uns die Natur mit diesen hochaufgeladenen Zuständen ausgestattet? Alle Gefühlszustände spielen aber in unserem Leben eine sehr wichtige Rolle.

Warum haben wir Gefühle?

Nehmen wir zuerst die Wut: Stellen Sie sich eine Person vor, die keine Wut empfinden kann – scheint das nicht so, als ob sie ganz ohne Rückgrat aufgewachsen sei? Eines Tages steht diese Person auf dem Parkplatz eines Supermarkts; ein Auto fährt heran und parkt auf ihrem Fuß; und wegen ihrer grenzenlosen Sanftmut wartet sie solange, bis der Fahrer des Wagens zurückkommt und den Fuß wieder freigibt!

85

Wut ist die Kraft, die uns für uns selbst einstehen läßt. Ohne Wut wären wir nur Sklaven, Fußmatten, Herdenvieh (mehr noch, als wir es ohnehin schon sind). Wut ist unser Antrieb zu Freiheit und Selbsterhaltung.

Furcht ist auch sehr nützlich. Warum wohl fahren wir auf der richtigen Straßenseite? Erinnern Sie sich an die Furcht, die Sie verspürten, als Sie bei jemandem mitfuhren, der sein Fahrzeug mit vollem Risiko, also „furchtlos" steuerte? Furcht hindert uns daran, ein zu großes Risiko einzugehen. Furcht bremst uns, zwingt uns dazu innezuhalten, nachzudenken, Gefahren zu vermeiden – auch wenn unser bewußtes Denken noch nicht weiß, worin die Gefahr besteht.

Traurigkeit ist das Gefühl, das uns hilft zu trauern – und uns buchstäblich reinzuwaschen von dem Schmerz, den der Verlust einer Sache oder einer Person verursacht hat. Die chemischen Veränderungen, die mit der Traurigkeit einhergehen, helfen unserem Gehirn, Schmerz abzuleiten und voranzuschreiten in einen neuen Lebensabschnitt. Nur wenn wir getrauert haben, können wir „loslassen" und neue Bindungen zu Menschen und dem Leben eingehen.

Richtig besehen, gibt uns ...

... Wut die Freiheit,

... Furcht die Sicherheit,

... Traurigkeit die Fähigkeit, mit Menschen und der Welt Kontakt aufzunehmen

Alle drei „Grundgefühle" sind unabdingbar für das Glücklichsein. Freude, das vierte Gefühl, kommt erst auf, wenn Wut, Furcht und Traurigkeit ausgelebt wurden.

Eltern können ihren Kindern helfen, Empfindungen wie Wut, Furcht und Traurigkeit anzunehmen und den Umgang damit zu erlernen. Schauen wir uns die Gefühle der Reihe nach an.

Der erste Impuls, den Kinder haben, wenn sie wütend werden, ist, etwas hinzuwerfen oder gar loszuschlagen. Das dient, wie wir gesehen haben, einem natürlichen Zweck, muß aber etwas modifiziert werden, wenn sie mit den Menschen ihrer Umgebung zurechtkommen sollen. Mit der Wut ihrer Kinder haben die meisten Eltern Probleme – vor allem möchten Eltern die Wut ihrer Kinder steuern können.

Wann immer wir aber das Verhalten unserer Kinder ändern wollen, sollten wir zum Ziel haben, was ihnen später, wenn sie erwachsen sind, nützlich sein kann. Denken Sie einen Augenblick nach: Wie sollte ein Erwachsener am besten mit seiner Wut umgehen?

Es ist eine Frage des Gleichgewichts. Wird jemand schlecht behandelt, muß er fähig sein, sich dagegen laut und mit Nachdruck zu wehren – und zwar frühzeitig, bevor er in Rage gerät oder gar handgreiflich wird. Wut und Gewalttätigkeit sind nämlich nicht dasselbe. Gewalt ist fehlgeleitete Wut.

Lernen, mit der Wut umzugehen

Erwachsene haben gelernt, ihre Wut so auszudrücken, daß sie zwar Wirkung zeigt, aber andere nicht verletzt oder beleidigt.

Zeigt unser Kind zu wenig Wut, wird es vielleicht als Schwächling angesehen und von anderen Kindern herumgestoßen oder gar ausgenutzt. Zuviel Wut macht es unbeliebt oder stempelt es als aggressiv ab. Die Balance zu finden zwischen diesen beiden Polen, das ist es, was unsere Kinder lernen müssen. Und das müssen sie ab dem Alter von etwa zwei Jahren trainieren.

Wie man Kindern hilft, mit ihrer Wut umzugehen

Bestehen Sie darauf, daß Ihr Kind seine Wut mit Worten und nicht mit Taten ausdrückt.
Kinder sollen laut und deutlich ausdrücken, daß sie wütend sind, und wenn möglich auch, weshalb sie wütend sind.

Helfen Sie ihnen dabei, ihre Gefühle zu begründen.
Sprechen Sie mit ihnen, um die Gründe für den Ausbruch zu erfahren. Kleine Kinder brauchen manchmal Unterstützung beim „Zurückdenken", um herauszufinden, wo etwas falschgelaufen ist.

> „Bist du auf Andreas wütend, weil er dir deinen Laster weggenommen hat?"

> „Bist du böse, weil du so lange darauf warten mußtest, daß ich mein Gespräch beende?"

Bald werden Ihre Kinder sagen können, was nicht stimmt und warum es nicht stimmt – anstatt dem Impuls zur sofortigen Aktion nachzugeben.

Machen Sie den Kindern bewußt, daß ihre Gefühle gehört werden (wenn auch nicht immer mit Folgen).

> „Du hast ganz recht, wenn du wütend bist, ich hab' wirklich nicht zugehört. Jetzt aber höre ich dir zu."

> „Ich weiß, daß du keine Lust hast, länger in diesem Geschäft zu warten. Ich auch nicht, aber so ist das nun einmal."

> „Stell dir vor, was dir mehr Spaß machen könnte als deinen kleinen Bruder zu ärgern."

Machen Sie dem Kind klar, daß Schlagen kein akzeptabler Weg ist, um Wut auszudrücken.
Greifen Sie auf der Stelle ein, und lassen Sie jedem einzelnen Anlaß eine deutliche Mißbilligung (oder Strafe) folgen.

Bestehen Sie immer darauf, daß Ihr Kind das tut, was Sie ihm ursprünglich aufgetragen haben (verleihen Sie Ihrem Verlangen durch Worte Nachdruck).

Helfen Sie Ihren Kindern, ihre Wünsche zu formulieren.
Oftmals quengeln Kinder herum und beschweren sich über Dinge, die ihnen nicht passen. Sie brauchen Ihre Unterstützung, um aus solchen Situationen positive Handlungsweisen zu entwickeln.

„Julian hat mich geschlagen." „Dann sag' ihm ganz laut, daß er das lassen soll."

„Annette mir hat mein Fahrrad weggenommen." „Geh' hin zu ihr und frag' sie, ob du es zurückhaben kannst. Sag' ihr, daß es deins ist und du es jetzt wiederhaben willst."

Gehen Sie mit gutem Beispiel voran.
Es ist alles in allem wahrscheinlicher, daß die Kinder am Ende das tun, was Sie tun, als das, was Sie sagen. Was Sie anstreben, sollten Sie auch vorleben. Wenn Sie wütend werden, drücken Sie es aus, und zwar mit entsprechend lauter Stimme. Werden Sie wütend und laut, bevor Sie sich wirklich hineinsteigern. Ist die Sache dann erledigt, gehen Sie zur Tagesordnung über, so lernen die Kinder, daß man Wut ausdrücken kann, und sie dann verraucht. Sagen Sie einfach öfters und unverkrampft:

„Ich bin wütend!"

„Laß mich bitte jetzt in Ruhe!"

„Unterbrich nicht dauernd!"

„Faß meine Sachen nicht an!"

„Ich ärgere mich, weil du dich nicht an unsere Abmachung gehalten hast. Was ist eigentlich los mit dir?"

Kinder lernen sehr viel mehr über das Wütendwerden von Eltern, die Ärger auch selbst ausdrücken (in Maßen), als von Eltern, die immer liebenswürdig, vernünfig und beherrscht bleiben. Kinder müssen erkennen, daß ihre Eltern auch nur Menschen sind.

Man kann mit Kindern sehr ärgerlich werden, ohne jemals Schimpfwörter gebrauchen zu müssen oder sie zu demütigen. Man sollte einfach nur die eigenen Gefühle und Gründe ohne Umschweife ausdrücken.

Kinder brauchen Zeit, um den Umgang mit Ärger zu lernen. Seien Sie froh, wenn Ihr Kind irgendein Zeichen von Zurückhaltung an den Tag legt – sei es, daß es sich bemüht, ein anderes Kind (oder Sie selbst!) nicht zu schlagen, oder daß es laut sagt „Ich bin wütend".

Und bedenken Sie: Viele Erwachsene haben diese Lektion immer noch nicht gelernt, während Sie bei Ihrem Kind durchaus einige Fortschritte haben bewirken können.

Lernen, mit der Traurigkeit umzugehen

Es tut gut, sich einmal auszuweinen, wenn die Traurigkeit überhandnimmt. Dagegen anzukämpfen hingegen ist auch heute noch die Forderung an den „richtigen Mann", ein Gebot des „Starkseins". Selbst unter Kindern gilt Weinen oftmals als unschicklich, und wer dennoch weint, macht sich ein bißchen verdächtig, gilt als „Heulsuse".

Ab und zu die Tränen fließen zu lassen ist aber so natürlich wie Atmen. Abgesehen davon, daß Nichtweinen keineswegs „stark" macht, führt es zusätzlich zu inneren Verkrampfungen und Spannungen. Man lebt tendenziell eher in der Vergangenheit und findet schwer Kontakt zur Gegenwart. Man hat Angst vor den Gefühlen anderer Menschen und vor allem, was mit Verlust und Tod zu tun hat. Wer gelernt hat, sich auszuweinen und die Traurigkeit sozusagen auszuscheiden, erfährt, daß jede Situation im Leben bewältigt werden kann.

Erst in den 80er Jahren wurde entdeckt, daß während des Weinens Substanzen der Endorphin-Familie produziert werden, die

die Schmerzrezeptoren des Körpers blockieren. Während des schlimmsten seelischen Schmerzes wird der Körper so von anästhetischen Kräften durchflutet. Diese Endorphine sind sogar in den Tränen selbst enthalten; ihnen wird eine Wirkung wie Morphium zugeschrieben.

Wie man Kindern hilft, mit Traurigkeit umzugehen

Traurigkeit verselbständigt sich und braucht keine Hilfestellung. Wir müssen nur da sein, uns still verhalten und bei dem Kind stehen oder sitzen, während es den Tränen seinen Lauf läßt. Manchmal drücken sich die Kinder an uns und möchten umarmt werden, manchmal halten sie sich abseits und möchten nicht berührt werden.

Je nach Situation können Sie dem Kind zusprechen: „Es ist schon in Ordnung, wenn du jetzt weinst", „Das mit Opa ist wirklich traurig", „Ich bin auch ganz traurig". Wenn das Kind verwirrt oder verlegen ist, genügt auch ein kleiner Kommentar wie: „Anton war ein guter Freund von dir; er ist es wert, daß man über ihn traurig ist", „Manchmal fühlt sich Weinen ganz schrecklich an, nicht?"

Einmal sah ich mir bei Freunden einen traurigen Film an, der alle Anwesenden tief berührte, einige weinten, ja unsere Gastgeberin brach gar in lautes Schluchzen aus. Da erschien ihre dreijährige Tocher in der Tür, legte ihr sanft die Hand auf die Schulter und sagte: „Ist schon in Ordnung, Mami, laß es nur heraus!"

Lernen, mit der Furcht umzugehen

Auch Furcht ist lebenswichtig. Unsere Kinder müssen lernen innezuhalten, bevor sie in eine Gefahr hineinlaufen. Genauso wichtig ist, daß sie lernen, einer Gefahr auszuweichen oder davonzurennen – wenn ein Auto auf sie zufährt oder ein aus der

Kontrolle geratenes Fahrrad auf dem Bürgersteig. Und Kinder müssen auch lernen, sich vor überfreundlichen Onkels oder merkwürdigen Gestalten in acht zu nehmen.

Auf der anderen Seite kann zuviel Angst auch zu einer echten Behinderung werden – Kinder müssen auch Erwachsene ansprechen, sich in der Schule zu Wort melden und ihre Bedürfnisse formulieren können, und sie müssen auch in der Lage sein, sich auf sozialen Kontakt mit anderen einzulassen. Sie müssen die Welt grundsätzlich als sicher erfahren, aber dennoch bestimmte Regeln beachten. Wir wollen ja auch, daß sie neue Sachen ausprobieren, eine neue Sportart zum Beispiel oder eine kreative Tätigkeit.

Furcht verfolgt zwei Zwecke. Sie sorgt zum einen für Konzentration: Wenn sich bei einer Buschwanderung eine Schlange vor Ihnen aufrichtet (bei uns in Australien sind giftige Schlangen keine Seltenheit), hören Sie sofort auf, Ihren Gedanken nachzuhängen und leichtsinnig zu sein. Zum anderen setzt Furcht Energie frei: Sie werden sich wundern, wie schnell Sie laufen und wie hoch Sie springen können, wenn Ihnen die Angst im Nacken sitzt!

Was Kinder im Zusammenhang mit Furcht lernen müssen, läßt sich in einem Wort zusammenfassen: nachdenken! Nur unser Verstand kann unsere Ängste in den Griff bekommen, nur mit unserem Verstand stellen wir uns auf ungewohnte und unangenehme Situationen ein. Als ich wegen meiner Arbeit zunehmend mit dem Flugzeug unterwegs war, merkte ich, daß sich die Flugangst in mir breitmachte. Flugzeuge schienen mir plötzlich unsicher, die Tragflächen wirkten so zerbrechlich und so weiter. Daraufhin machte ich mir bewußt, daß noch nie ein australisches Passagierflugzeug abgestürzt ist (wenn Ihre Fluglinie das nicht von sich behaupten kann, können Sie sich damit trösten, daß statistisch gesehen ein baldiger Wiederholungsfall unwahrscheinlich ist!), daß Flugreisen weitaus sicherer sind als Reisen mit dem Auto oder Bus, daß überall auf der Welt zu jeder Zeit Tausende von Flugzeugen in der Luft sind. Es hat funktioniert, ich habe keine Angst mehr vorm Fliegen. Und genauso gehe ich an die Arbeit mit Kindern heran.

Vier grundsätzliche Tips zum Umgang mit Furcht

Halten Sie sich an die Tatsachen

Drei- und Vierjährige machen sich alle möglichen Gedanken über die Welt um sie herum, teilweise sogar Sorgen. In einigen Büchern ist von einer Phase der „ängstlichen Vierjährigen" die Rede. Sprechen Sie mit Ihrem Kind über seine Ängste, nehmen Sie sich Zeit und bleiben Sie mit Geduld beim Thema. Unterschätzen Sie aber nicht die kindliche Intuition – es kommt vor, daß Kinder gegenüber Menschen und Orten zunächst unerklärlich zurückhaltend reagieren, und erst später stellt sich heraus, daß ihre Zurückhaltung berechtigt war. Furcht wirkt wie eine Art Radar, der der menschlichen Spezies im Laufe der Entwicklungsgeschichte gute Dienste erwiesen hat.

Sprechen Sie über die Ängste

Wenn sich ein Kind vor tatsächlich schon eingetretenen Situationen fürchtet (Hausbrand, Hochwasser oder Ähnlichem), dann erklären Sie ihm, wie unwahrscheinlich es ist, daß solche Katastrophen auch in seiner Nähe eintreten. Überlegen Sie vielmehr gemeinsam mit Ihrem Kind, was zu tun ist, damit es sich im Fall der Fälle sicher fühlen kann.

Sind die Ängste der Phantasie entsprungen, dann sagen Sie es Ihren Kindern.

Suchen Sie nicht unter dem Bett nach Drachen, es sei denn, Sie leben auf den indonesischen Komodo-Inseln!

Unterschwellige Ängste

Wenn die Kinder sich dauerhaft ängstlich verhalten, versuchen Sie durch aktives Zuhören herauszufinden, was sie beunruhigt und warum es ihnen so schwerfällt, davon zu erzählen.

Kinder sehen sich heute in den großen unpersönlichen Städten einer Reihe von Gefahren gegenüber. In Australien werden deshalb zunehmend in den Schulen Kurse abgehalten, die ein sogenanntes „Protective Behaviour Training" zum Inhalt haben. Im Rahmen dieses „Schutzverhaltens-Trainings" lernen Kinder, wie und wo sie Hilfe finden, wenn etwas passiert. Es ist traurig, aber eine Tatsache, daß Kinder am meisten von sexuellem Mißbrauch – oft innerhalb der Familie – bedroht sind. Das „Protective Behaviour Training" lehrt die Kinder daher zwei Regeln: „Nichts ist so schlimm, als daß man nicht mit jemandem darüber reden könnte" und „Du hast das Recht, dich jederzeit sicher zu fühlen und dich zu wehren, wenn du dich unsicher fühlst" (wenn das nur überall auf der Welt gelten würde!).

Während des Programms wird sorgfältig vermieden, den jüngeren Kindern Details sexuellen Mißbrauchs zu erklären – diejenigen, die ihn erlitten haben, kennen die Details nur allzugut und die anderen müssen diese nicht unbedingt wissen. Auch werden niemals einzelne Kinder in der Klasse befragt oder herausgestellt, vielmehr werden Möglichkeiten erörtert, wie Kinder um Hilfe nachsuchen können. Diejenigen, die sich in konkreter Gefahr befinden, lernen, wo sie Hilfe finden.

Tatsächlich wurden in der Folge dieser Aufklärungsarbeit innerhalb nur weniger Monate deutlich mehr Fälle sexuellen Mißbrauchs gemeldet.

Man erhofft sich davon auch, daß die Häufigkeit des sexuellen Mißbrauchs abnimmt, wenn die Einführung dieser Kurse von wirkungsvoller Öffentlichkeitsarbeit begleitet wird – vielleicht, weil die betroffenen Erwachsenen Angst bekommen, entdeckt zu werden.

Das Hauptaugenmerk der Aufklärungsarbeit liegt jedoch auf alltäglichen Gefahren. Wie zum Beispiel soll sich ein Kind verhalten, wenn es nach Hause kommt und vor verschlossener Tür steht oder wenn es den falschen Bus genommen hat? Vor allem kommt es den Pädagogen darauf an, die Kinder nicht zu erschrecken, sie vielmehr aufzuklären und nicht hilflos einer Situation auszuliefern.

Auch Eltern können in einem solchen Kurs lernen, wie sie ihrem Nachwuchs beibringen, sich in zweifelhaften Situationen zu helfen. (Ich bin mir sicher, daß auch bei Ihnen in Deutschland, in der Schweiz oder in Österreich ähnliche Kurse angeboten werden – und wenn nicht, fordern Sie einfach die Einrichtung solcher Kurse!)

Kinder brauchen also die Furcht in ihrem Leben, damit diese sie vor Gefahren bewahrt. Das heißt nicht, daß man die Kinder zusätzlich mit den Ängsten der Erwachsenen belasten soll – denn um diese Ängste sollten wir uns schon selbst kümmern. Den Kindern aber müssen wir beibringen, gefährliche Situationen zu überdenken. Fragen Sie Ihre Kinder deshalb: „Was würdest du tun, wenn ...?". Gehen Sie auf sie ein und überlegen Sie, vor welchen Gefahren sie gewappnet sein sollten.

Spektakel – oder wenn Gefühle außer Rand und Band geraten

Wir alle erkennen intuitiv den Unterschied zwischen einem echten Gefühlsausdruck und einer aufgesetzten Variante. Kinder erfahren, daß sie mit bestimmten Gefühlsäußerungen Reaktionen auslösen, und lernen schließlich, ein Gefühl auszuspielen, um eine gewünschte Reaktion zu erzielen. Jeder Elternteil entwickelt

„Vorlieben" für gewisse Gefühlsäußerungen, und Kinder haben bald heraus, wie sie „den besten Erfolg erzielen".

Jedes Gefühl hat ein „falsches" Gegenstück. In der Psychotherapie spricht man deshalb von „aufgesetzten Gefühlen". Auf Kinder bezogen heißt das:

Aufgesetzte Wut äußert sich als „Koller".

Aufgesetzte Traurigkeit äußert sich als Schmollen.

Aufgesetzte Furcht äußert sich als Schüchternheit.

Diese drei Gefühlsäußerungen stellen einige der größten Herausforderungen dar, denen sich Eltern gegenübersehen. Auf den nächsten Seiten wollen wir deshalb jede einzelne genauer unter die Lupe nehmen.

Wie man mit einem „Koller" umgeht

„Koller" werden durch Zufall erlernt. Etwa mit zwei Jahren sind Kinder zunehmend den Frustrationen des täglichen Lebens ausgesetzt, sie müssen auf Dinge warten, müssen sich mit einem Nein abfinden und so weiter. Wenn dann zum ersten Mal ein Koller ausgelöst wird, werden sie einfach von der Kraft der eigenen Wut hinweggespült und verhalten sich auf eine Weise, die weder das Kind noch Sie selbst jemals zuvor erlebt haben. Manchmal geschieht das so plötzlich, daß das Kind selbst erschrickt – „Was war das denn!!" – und hinterher zu weinen beginnt und des Trostes bedarf. Von diesem Zeitpunkt an jedoch weiß das Kleinkind genau, was es tut, und kontrolliert sein Verhalten: „Na da schau her, jetzt schreie ich mir gerade die Lunge aus dem Hals ..., und jetzt noch ein bißchen auf den Boden werfen ..., etwas spucken..., ja, so ist's richtig ...!".

Warum nur, werden Sie sich fragen, sollte sich jemand so aufführen wollen? Ein kleiner Teil der Antwort ist, daß durch so ein Spektakel die Energie entladen wird, die sich durch die Frustration in einem Kind aufgebaut hat. Der Kern der Antwort aber liegt in dem Effekt, den der Koller auf Erwachsene hat; daher rührt die Motivation und der Wunsch nach Wiederholung. Erwachsene werden oftmals richtig verlegen, erschrecken, verkrampfen sich – und manchmal geben sie einem auch das, was man will! So werden Koller – Wutspektakel – zum festen Bestandteil des Verhaltensrepertoires. Im nachfolgenden ein paar Tips, wie man damit zurechtkommt:

Keine Belohnung mehr!

Der erste Schritt verlangt, daß Sie einen festen Entschluß fassen: Nie wieder werde ich meinem Kind etwas geben, was es versucht, mit einem Koller zu bekommen. In der Vergangenheit haben Sie das gemacht („um des lieben Friedens willen"), aber von nun an ist Schluß damit.

Praktisches Verhaltenstraining

Entwickeln Sie eine Taktik, wie Sie während eines Kollers vorgehen. Manche Eltern entfernen sich einfach und ignorieren das sich am Boden wälzende und schreiende Kind (was sicher schwerfällt, aber viele Experten raten gerade zu diesem Elternverhalten); andere packen es am Kragen und schleifen es in sein Zimmer oder zum wartenden Auto; wieder andere greifen zu und halten es fest umarmt; auch Anbrüllen („Hör' sofort auf damit!") scheint eine verbreitete Methode zu sein. Es bleibt Ihnen und der Situation überlassen, wie Sie reagieren. Viel wichtiger jedoch ist die Vorbeugung.

Was uns zum nächsten Schritt hinführt ...

Schwere Geschütze auffahren

Wenn der Koller vorbei ist, sollten Sie es nicht dabei bewenden lassen. Machen Sie Ihrem Kind klar, daß es sich mit seinem „Anfall" in echte Schwierigkeiten gebracht hat, daß es keinesfalls in Frage kommt, Wut auf diese Art und Weise auszudrücken. Schicken Sie Ihr Kind aufs Zimmer, stellen Sie es in eine Ecke. Wenn Sie mit Ihrem Kind unterwegs sind und es währenddessen einen Koller bekommt, warten Sie solange, bis Sie zu Hause sind, um es dann zur Rede zu stellen: Verlangen Sie eine Entschuldigung; bringen Sie es dazu, die Gründe für sein Verhalten zu formulieren. Erklären Sie ihm, welches Verhalten besser gewesen wäre. Und falls es sich um eine besonders gekonnte Aufführung eines Kollers oder eine

Wiederholungsdarstellung handelt, sollten Sie auf praktische Konsequenzen nicht verzichten: Schließen Sie ein Spielzeug weg, erteilen Sie Fernsehverbot oder Ähnliches.

Den Anfängen wehren

Nachdem Sie nun das „Kriegsrecht" verhängt haben, geht es an die wirksame Vorbeugung. Die meisten Koller kann man bereits im Ansatz erkennen. Überlegen Sie, welche Situation das bevorzugte Aktionsfeld Ihres Kindes ist: Ist es die Fahrt mit dem Spielauto im Supermarkt oder die Kasse, neben der die Süßigkeiten so verlockend baumeln? Passiert es meist zu Hause, wenn Besuch kommt? Behalten Sie Ihr Kind im Auge – und vor allem sich selbst!

Viele Eltern senken unbewußt die Stimme und schauen „verfolgt" um sich, wenn die typische Situation naht – was den Kindern signalisiert: Jetzt ist meine Chance gekommen! Reagieren Sie sofort, sobald sie anfangen zu quengeln und sich zu versteifen. Übertrumpfen Sie sie mit Ihrem lautstark geäußerten Ärger! Verleihen Sie Ihrer Stimme einen möglichst strengen und kräftigen Tonfall. Warten Sie nicht so lange, bis Sie wirklich wütend werden. Tun Sie so, als ob Sie es schon seien, so daß Ihr Kind gar nicht mehr zu äußern wagt, was es haben wollte!

Vorausplanen

Wenn Sie sich und Ihrem Nachwuchs das Leben etwas leichter machen wollen, sollten Sie überlegen, welche Situationen besonders frustrierend sind. Versuchen Sie, diese auf ein Minimum zu reduzieren. Können Sie Großeinkäufe dann erledigen, wenn jemand auf die Kinder aufpaßt? Versuchen Sie, sie mit kurzen Einkäufen zu trainieren, damit sie sich daran gewöhnen, nicht immer Ihre volle Aufmerksamkeit zu haben. Sorgen Sie für die Zeiten vor, von denen Sie wissen, daß Sie dann sehr beschäftigt und gestreßt sein werden: Geben Sie ihnen etwas, das sie beschäftigt, oder organisieren Sie für ein paar Stunden Gesellschaft.

Fassen wir also noch einmal zusammen, wie dieser häufigsten Elternplage ein Ende gemacht werden kann:

Belohnen Sie einen Koller nie. Wenn einer beginnt, ignorieren Sie ihn am besten. Wenn er vorbei ist: Fahren Sie schwere Geschütze auf! Lassen Sie dem Kollerspektakel länger andauernde Konsequenzen folgen. Seien Sie in Zukunft schneller – werden Sie sofort laut und ärgerlich, wenn Sie merken, daß Ihr Kind aufdrehen möchte. Überrumpeln Sie es! Und schließlich: Versuchen Sie, falls möglich, die „gefährlichsten" Situationen zu vermeiden.

Koller müssen keineswegs ein fester Bestandteil der Kindheit sein. Die meisten Kinder werden es ein- oder zweimal ausprobieren, wenn Sie jedoch konsequent einschreiten, wird diese Phase schnell vorübergehen.

Wie man dem Schmollen ein Ende setzt

Es ist wie im Theater: Ihr Kind sitzt auf einem Kissen mitten im Wohnzimmer. Unübersehbar. Und gibt laute, herzzerreißende Seufzer von sich. Mit einem Gesichtsausdruck, der einen Oscar für Spezialeffekte einbringen könnte! Das kann man wirklich nicht ignorieren, also fragt man:

„Was ist denn jetzt los???"

Und die ewige Antwort lautet:

„Nichts."

Aber das ist nur der erste Akt des Dramas! Schmollen soll etwas bewirken – Sie sollen den Beweis antreten, daß Ihnen wirklich etwas am Schmoll-Kind liegt. Das können Sie tun, indem Sie sich über das arme Kind beugen und zu raten anfangen:

„Ist etwas mit dem Essen?", „Hat irgend jemand etwas gesagt?", „Wie ist es in der Schule gegangen?", „Fühlst du dich nicht gut?"

Die Antwort:

„Nein, huh, huh, huh ...".

Nächster Akt: Irgendwann wird Ihnen erlaubt, eine Spezialbehandlung anzubieten, aber selbst dann ist noch nicht alles in Ordnung – das leidende Kind ist nur zeitweise besänftigt, nein, dieser tiefe, existentielle Schmerz erhält nur neue Nahrung und drängt zum nächsten Ausbruch! Und an dieser Stelle fragen Sie sich, ob Sie als Vater oder Mutter nicht gänzlich versagt haben.

Schmollen funktioniert nur, wenn Eltern Schuldgefühle haben und das Kind gelernt hat, diese Schuldgefühle auszunutzen. Vielleicht sind Sie eines Nachts aufgewacht und haben Ihrem Kind im Halbschlaf die saubere Windel aus- und die schmutzige Windel angezogen. Oder Sie haben aus Versehen das Fläschchen auf das Ärmchen fallen lassen, und jetzt leidet das arme Kind an posttraumatischem Streß. Was immer es war, vergessen Sie es einfach, das ist Vergangenheit – Ihre Schuldgefühle helfen Ihrem Kind nicht weiter.

Wenn wir einem schmollenden Kind Zuneigung und Aufmerksamkeit schenken, macht es sich eine einfache Rechnung auf: Zuneigung wird ausgelöst, wenn man sich jämmerlich gibt. Wenn ein Kind möchte, daß man es umsorgt, braucht es nur zusammenzubrechen, sich beklagenswert aufzuführen, und schon bekommt es Aufmerksamkeit. Ein Problem bei der Sache ist, daß die Familie nicht die Welt ist; ein anderes, daß Schmollende kein glückliches Leben führen.

Mir begegnen viele schmollende Kinder und Erwachsene. (Therapeut zu sein heißt, die Elternrolle für Kinder aller Altersklassen zu übernehmen) Früher habe ich mich gehörig angestrengt, sie für mich zu gewinnen, ihnen zu schmeicheln, sie aus der Reserve zu locken. Ich spielte den „netten" Mann (auch wenn ich innerlich zusehends müde und ärgerlich wurde). Heute gelingt es mir viel besser, schmollende Verhaltensmuster zu ändern.

Wenn Kinder bei mir zu schmollen anfangen, so mache ich ihnen klar: „Mir liegt viel an dir und ich möchte dir helfen. Denk' darüber nach, was du wirklich willst. Du findest mich in der Küche." Dann lasse ich sie alleine. In der Regel kommen sie nach und sagen direkter, was sie möchten, und ich bin dann gerne bereit, ihnen zu helfen. Schmollen wird langweilig, wenn keiner mehr da ist, an den man hinschmollen kann.

Fünf Thesen für eine Anti-Schmoll-Kampagne:

1. Jeder – ob Kind oder Erwachsener – weiß, was er will. Man muß nur etwas nachdenken, um sich darüber klar zu werden.

2. Kinder können lernen, ihre Wünsche auszudrücken – direkt und mit Worten.

3. Menschen brauchen sehr wenig – Essen, ein Dach über dem Kopf, Luft, Zuneigung, Bewegung.

4. Alles übrige sind Wünsche. Und man bekommt eben nicht immer alles, was man möchte!

5. Ob du glücklich oder unglücklich bist, schert die Welt kein bißchen. Also kannst du dich auch gleich fürs Glücklichsein entscheiden.

Der Mythos der Schüchternheit

Gibt es in Ihrer Familie ein schüchternes Kind? Nun, nachdem Sie das Folgende gelesen haben, werden Sie das schleunigst ändern wollen! Schüchternheit ist lediglich ein Mythos; eine Falle, in der die Kinder gefangensitzen und nicht wissen, wie sie herauskommen sollen. Schüchternheit mag sich zwar bei einem Kind niedlich ausmachen, später ist sie jedoch ein echtes Handikap. Schüchterne Menschen verpassen eine Menge im Leben.

Also, wie werden Kinder schüchtern und wie kann man ihnen helfen, mehr aus sich herauszugehen? Schüchternheit entspringt einer Mischung aus Zufall und Konditionierung. Es kann uns allen passieren, daß wir in einer Situation außer Fassung geraten und die Sprache verlieren. Das passiert auch Kindern.

Ich kann mich an ein Erlebnis im Zirkus erinnern, als ein Clown sich über einen kleinen Burschen beugte, vermutlich, um Hallo zu sagen, und dieser vor Schreck fast im Boden versunken wäre! Der Schauspieler Robin Williams erzählte einmal, daß er einen Zweijährigen mit nach Disneyland genommen habe, dieser aber unter keinen Umständen Mickey Maus die Hand drücken wollte. Der Grund ist eigentlich ganz einsichtig: Aus der Perspektive des Zweijährigen handelte es sich bei Mickey Maus um eine drei Meter große Ratte!

Die Aufgabe der Eltern ist es, dafür zu sorgen, daß die Kinder über diese Phase glimpflich hinwegkommen. Und die Personen, mit denen wir unsere Kinder bekannt machen, sollten weder gefährlich noch furchterregend sein, noch sollten sie so tun, als ob sie das wären.

Halten Sie Ihre Kinder an, sozialen Kontakt aufzunehmen

Das ist ganz einfach. Wenn jemand Ihr Kind anspricht oder Hallo sagt, erklären Sie ihm, daß es die Person, die es angesprochen hat, anschauen, ebenfalls Hallo sagen und den Namen anfügen soll.

Sie können die Person vorstellen und sagen „Das ist Peter (oder Dr. Müller oder sonst jemand), sag' bitte ‚Hallo' zu ihm!" Das Kind schaut auf und sagt: „Hallo Peter". Das ist schon alles. Für Kinder unter vier Jahren können Sie es dabei belassen. Die Kinder sollten nicht mehr als ein paar Augenblicke im Zentrum der Aufmerksamkeit stehen – sonst fühlen sie sich zur Verstellung gezwungen. Hallo sagen und Augenkontakt ist schon ein guter Anfang.

Bestehen Sie darauf, daß sie es tun!

Die dreijährige Angela wurde von ihren Eltern als sehr schüchtern eingestuft. Wenn Besuch kam, und das kam oft vor, verhielt sich die ansonsten herumtollende und gesprächige Angela sehr zurückhaltend, versteckte sich hinter dem Rock der Mutter, ja wurde ganz allgemein verlegen, wenn neue Gesichter auftauchten. Schließlich verhielt sie sich auch anderen Kindern gegenüber auf diese Weise.

Angelas Eltern suchten bei uns um Rat nach, und wir beschlossen gemeinsam folgenden Aktionsplan. Sie gaben klare Anweisungen, wie Angela aufzuschauen und was sie zu sagen hatte, wenn sie angesprochen wurde. Als eine Freundin zu Besuch kam (die schon öfter dagewesen war) und Angela schüchtern reagierte, anstatt hallo zu sagen, mußte sie sich zurückziehen und nachdenken, bis sie bereit war, die Sache richtig zu machen (die „Ecke" ist übrigens ein von vielen Eltern heutzutage eingesetztes Mittel, um ihre Kinder zum Nachdenken zu bringen – eine Alternative zu Ohrfeigen und zum Anbrüllen). Angela blieb in der Ecke stehen, aber begann damit, ein Theater zu machen, also wurde sie in ihr Zimmer gebracht (zu diesem Zeitpunkt waren die Eltern froh darüber, daß der Besuch eine alte Freundin war und kein schnell urteilender Fremder).

Normalerweise ist es zunächst mühsam, schüchterne Verhaltensmuster aufzubrechen. Nachdem sich Angela beruhigt hatte, wurde sie wieder herbeigeholt. Sofort sagte sie „Ich bin bereit" (sie mochte zwar ein Dickkopf sein, aber dumm war sie nicht). Dann sagte sie ohne Zögern: „Hallo Margret", rannte davon und fing fröhlich an zu spielen. Bald danach näherte sie sich Margret ohne Scheu, zeigte ihr Spielzeug und fing an zu plappern. Angelas Schüchternheitsproblem trat fast nie mehr auf, und wenn doch, dann mußte sie sich kurz zurückziehen. Innerhalb von Tagen wandelte sich Angela von einem schüchternen zu einem kontaktfreudigen Mädchen.

Der einzige Grund, weshalb sich Schüchternheit so hartnäckig hält, ist, daß einige Erwachsene ihr zuviel Aufmerksamkeit schenken. Diesen Erwachsenen gefällt Schüchternheit, sie finden sie niedlich und liebenswert und machen eine große Schau daraus, das Kind, „aus sich herauszuholen". Das Kind erhält mehr Aufmerksamkeit, als es je erhalten würde, wenn es sich geradeaus verhielte. Es wird zum Konversationsobjekt von Erwachsenen, denen der Gesprächsstoff ausgegangen ist!

Kinder sollten Erwachsenen gegenüber nur dann Scheu an den Tag legen, wenn die Eltern nicht dabei sind oder wenn etwas nicht stimmt, wenn ein Erwachsener tatsächlich gefährlich oder betrunken ist oder wenn er für das Kind eine sexuelle Gefahr darstellt (entweder, weil seine Neigungen bekannt sind, oder die Gefahr vom Kind intuitiv erkannt wird). Solche Menschen haben im Umfeld Ihres Kindes ohnehin nichts verloren. Halten Sie nach extremen Reaktionen Ihres Kindes Ausschau, und versuchen Sie, sobald wie möglich den Grund einer solchen Reaktion herauszufinden.

Kontaktfreudigkeit heißt eigentlich nur, den ersten Schritt zu machen, freundlich zu sein – danach läuft alles wie von selbst. Indem Sie Ihrem Kind beibringen, Hallo zu sagen, Augenkontakt herzustellen und sich selbst vorzustellen, wird es Freunde finden und sich in der Gesellschaft anderer Menschen wohlfühlen. Kontaktfreudige Kinder werden ein reicheres Leben führen – im Privatbereich, in der Schule und im Berufsleben. Es lohnt sich, die Sache mit der Schüchternheit frühzeitig ein für alle Mal zu erledigen.

Bestimmt und konsequent sein

Standhaft bleiben: Tu es – jetzt sofort, auf der Stelle!

Bei meiner Arbeit mit Familien mache ich immer wieder neue Entdeckungen. Eine der ersten großen Überraschungen war, daß einige der stabilsten und glücklichsten Kinder von (meiner Meinung nach) besonders strengen Eltern aufgezogen wurden. Das Geheimnis schien darin zu liegen, daß diese Eltern zwar hart, aber berechenbar waren – sie waren so konsequent, daß die Kinder genau wußten, welche Regeln galten und wie man sich aus Schwierigkeiten heraushielt, und in der Folge wurden diese Kinder nur selten bestraft.

Wichtiger war vielleicht noch, daß diese Kinder wußten, wie sehr sie geliebt und geschätzt wurden, denn das hatte man ihnen deutlich und oft gesagt. Ablehnung gehörte nicht ins Repertoire dieser Eltern: Die Kinder mochten wohl manchmal Angst gehabt haben, aber sie wurden nie verschreckt, und ihnen wurde nie das Gefühl gegeben, daß man sie allein ließ. In ihrem Elternhaus galten allgemein strenge Regeln, die gekoppelt waren mit positiver Zuwendung. Das eine ohne das andere hätte wohl auch sicher nicht funktioniert.

Andererseits habe ich sehr viele Kinder kennengelernt, die (im Gegensatz zu den Kindern aus den strengen, aber fairen Familien) tun und lassen durften, was sie wollten und dennoch unglücklich waren, ja sie sehnten sich offensichtlich nach jemandem, der ihnen Grenzen setzte, was ihre Eltern allerdings

111

nicht erkannten. Sie waren der Meinung, daß ihre Kinder mehr Raum, mehr Freiheit bräuchten – was sie wirklich brauchten, war aber das genaue Gegenteil!

Kinder brauchen Grenzen

Grenzen sind wesentlicher Bestandteil der Kindererziehung – viele Eltern müssen das aber erst herausfinden. Wenn ein Kind aus einem Pflegeheim in eine neue Pflegefamilie kommt –, da die eigene Familie zerrüttet ist und als Verbund nicht mehr besteht – wird der Sozialarbeiter die neuen Pflegeeltern immer wieder darauf hinweisen, daß es zunächst Probleme geben kann:

„Es kann sein, daß sich dieses Kind schnell eingewöhnt. Wahrscheinlicher ist aber, daß es in den ersten drei Monaten herausfinden möchte, ob die neue Familie stark genug ist, mit ihm auszukommen. Ob Sie es zügeln können, ob Ihre Ehe, Ihre psychische Stabilität, Ihre Zuneigung und Ihre Disziplin gefestigt sind. Erst wenn die Familie konsequent Beständigkeit zeigt, kann es sich entspannen und wieder zu wachsen beginnen. Kurz: Es möchte herausfinden, ob die neue Familie nicht ebenso zerbricht wie die, in der es aufwuchs."

Diese Situation ist ein extremes Beispiel. Aber alle Kinder gleichen sich in einer Hinsicht: Sie brauchen die Gewißheit, daß jemand da ist, der sie bremst.

Aggressiv, passiv und bestimmt auftretende Eltern

Die Forschung hat gezeigt, daß es drei Reaktionsmuster von Eltern auf das ungezügelte Verhalten ihrer Kinder gibt: **Aggressivität, Passivität und Bestimmtheit.**

Aggressive Eltern

Aggressive Eltern sind ununterbrochen wütend auf ihre Kinder. In der Regel ist jedoch nicht das Verhalten der Kinder die Ursache ihres Ärgers. Vielmehr sind diese Eltern womöglich unzufrieden mit ihrer Ehe, ihrer Arbeit, der Menschheit überhaupt oder auch nur mit der Tatsache, daß sie Eltern sind und es nicht sein wollen (wofür die Kinder ja nichts können). Sie reagieren ihre innere Verspannung an den Kindern ab, indem sie diese abkanzeln.

Es kommt vor, daß Kinder das aggressive Verhalten ihrer Eltern als eine Form von Liebe deuten: „Immerhin sind sie so interessiert an mir, daß sie mich anschreien; und da sie so laut schreien, müssen sie mich sehr mögen!" Diese Kinder werden sogar zurückschreien (um die Liebe zurückzugeben) – und bald kommunizieren beide Parteien nur noch im Streit. Ganze Familien können sich dieses Kommunikationsmusters bedienen, was auf Außenstehende den Eindruck eines gefährlichen, verbalen Freistilringens machen kann. Tatsächlich drückt es aber auch eine Intimität aus, die alle Beteiligten vermissen würden, wenn sie wegfiele.

Andere Kinder spüren, daß die Beschimpfungen wirklich destruktiv gemeint sind, ziehen sich zurück und verkümmern innerlich. Oder sie erfüllen die in sie gesetzten Erwartungen und werden zu Quälgeistern und Herumtreibern – so wie man es ihnen immer wieder gesagt hat.

113

Diese Kinder sind zwar gehorsam, aber nur aus Angst. Ihre Angst kann aber auch in Aggressivität umschlagen: Manch ein schikanierender Vater oder eine aggressive Mutter sehen sich irgendwann einem Teenager gegenüber, der kräftig genug geworden ist, um sich zu wehren und womöglich zurückzuschlagen. Aggressive Eltern handeln sich Kinder ein, die verängstigt und eingeschüchtert oder rebellisch und trotzig sind – oder eine Mischung aus allem!

Passive Eltern

Passive Eltern gibt es überall. Lassen Sie mich ein extremes Beispiel anführen, um zu zeigen, was ich unter „passiven" Eltern verstehe.

Eines Tages hatte ich einen Gesprächstermin mit einer jungen Frau, die sich darüber beklagte, daß ihr Kind nicht gehorchen wolle. Zwei Dinge allerdings machten mich stutzig: Die meisten Eltern bringen ihr Kind mit zu mir, ja oft ist es eher so, daß sie mir die Kleinen am liebsten gleich dalassen würden, nach dem Motto: „Hier ist es, bring' es wieder in Ordnung!" Diese Mutter jedoch hatte ihr Kind nicht mitgebracht, aus „Angst, es zu beunruhigen", auch ihrem Mann hatte sie nichts von ihrem Termin mit mir erzählt.

Im Verlauf unseres Gesprächs sprudelten die detaillierten Beschreibungen des Verhaltens ihrer Tochter nur so aus ihr heraus, offensichtlich befreite sie sich von einer großen Sorge und Anspannung. Sie war derart darauf aus, alles herauszulassen, daß es eine halbe Stunde dauerte, bis ich das Wort ergreifen konnte. Ich fragte sie, wie sie mit Ungehorsam umgehen würde, und sie antwortete, daß sie sehr bestimmt sei, das Kind aber einfach nicht gehorchen wolle. Ich sagte ihr, daß sie das Kind das nächste Mal mitbringen und mir vorführen solle, wie sie das mache.

Das Kind war sehr hilfsbereit und erfüllte unsere Erwartungen. Nach ein paar Minuten begann es, mein Telefon auseinanderzunehmen und die Vorhänge aus der Verankerung zu reißen. Ich forderte die Mutter auf, mir zu zeigen, wie sie das Kind aufhalten wolle. Auf der Stelle senkte sie die Stimme und flüsterte in sanftem, vorsichtigem Tonfall: „Melissa Liebling, wie wäre es, wenn du damit aufhören würdest?" Das half natürlich gar nichts. „Bitte komm' her, sei ein braves Mädchen." Ich mochte und respektierte die junge Frau als eine engagierte Mutter, die nur das Beste für ihr Kind wollte. Ihre Vorstellung von Bestimmheit allerdings unterschied sich ziemlich von der meinen.

Deshalb probten wir, wie sie bestimmter auftreten könnte, auch ihre eigene Schüchternheit nahmen wir unter die Lupe – und bald war Melissa nicht mehr der Tyrann des Hauses.

Ein gewisses Maß an Gehorsamkeit wird von Kindern nicht gefordert, weil es den Eltern Spaß macht, sondern weil es ihnen das tägliche Leben einfacher macht. Anders als die Eltern im letzten Jahrhundert brauchen wir keinen blinden Gehorsam. Wir verlangen von unseren Kindern nicht mehr, daß sie sich vor dem Essen die Haare kämmen und das Aufgetragene in alphabetischer Reihenfolge verzehren!

Wir bitten unsere Kinder nur noch mitzuwirken, damit unser Leben einfacher wird: „Zieh' dich um, bevor du zum Spielen rausgehst", „Hör' auf, Susanne zu schlagen".

Wenn sich also die Kinder nicht kooperativ zeigen, dann erschweren sie den Eltern das Leben. Passive Eltern müssen früher oder später feststellen, daß ihnen die Kinder auf der Nase herumtanzen. Gerne geben sie dem kindlichen Willen nach, um die Kreativität ihres Sprößlings nicht zu beeinträchtigen – dann aber werden sie sehr ärgerlich und müde, weil es sehr anstrengend ist, dem Kind alles zu erlauben. Und schließlich soll doch wieder eine gewisse Ordnung hergestellt werden. Das kann nach einer Stunde des schlechten Betragens sein oder nach einer Woche wiederholter Zwischenfälle – irgendwann ist die Geduld auch dieser Eltern zu Ende. Dann gibt es ein Donnerwetter und die Kinder werden (tat-)kräftig und emotionsgeladen diszipliniert: Und Eltern wie Kindern wird bewußt, daß die Situation außer Kontrolle geraten ist.

Es wird Sie sicher nicht überraschen, daß Eltern, die ihre Kinder mißhandeln, häufig aus der passiven Kategorie stammen: Scheue, schüchterne Eltern, die irgendwann, nachdem es lange geköchelt hat, explodieren. Sollten Sie jemals das Gefühl haben, daß Sie Ihr Kind körperlich maßregeln könnten, dann sollten Sie unbedingt das Kapitel „Energie tanken" lesen.

Während ich diese Zeilen schreibe, bewegt mich die Sorge, daß Sie, lieber Leser, ein schlechtes Gewissen haben, weil Sie sich in einigen der Beschreibungen wiedererkennen. Wenn die Beziehung zu Ihrem Kind von dem Muster „Nachgeben, nachgeben, nachgeben, explodieren" bestimmt wird, dann sollten Sie zwei Dinge wissen:

- **Rund 30 Prozent aller Eltern leben mit einem solchen Verhaltensmuster, vor allem, wenn sie kleine Kinder haben und noch sehr unerfahren sind.**

- **Das ist kein großes Problem, sondern lediglich eine Fehlleitung Ihrer Energien – und das kann korrigiert werden.**

Bestimmt auftretende Eltern

Aggressivität und Passivität in der Kindererziehung funktionieren nicht – was bleibt dann noch? Mit einem Fanfarenstoß kündigen wir an: Am besten ist es, wenn Eltern gegenüber ihren Kindern bestimmt auftreten!

Bestimmt auftreten können Eltern, die entschlossen, innerlich gefestigt, zuversichtlich und entspannt sind. Ihre Sprößlinge erfahren, daß das, was Vater oder Mutter ihnen sagen, Gültigkeit hat – sie werden dadurch weder beschämt noch herabgesetzt.

Ein selbstsicheres und bestimmtes Auftreten gegenüber Kindern ist heutzutage selten; deshalb findet man nur wenige Eltern, die in dieser Hinsicht ein Vorbild sein könnten. Wenn Ihre Eltern aggressiv waren, kann es für Sie besonders schwer sein, bestimmt aufzutreten. Aber man kann es lernen – nur nicht verzagen!

Die Voraussetzung für selbstbewußt-bestimmtes Auftreten liegt in Ihrem Inneren, in Ihren eigenen Einstellungen. Vergleichen Sie die Unterschiede der „Selbsteinschätzung":

„Schwache" Eltern werten sich selbst ab

- Ich komme in der Familie immer zuletzt dran.
- Ich muß die Kinder immer glücklich machen, sonst bin ich eine schlechte Mutter/ein schlechter Vater.

- Ich darf die natürliche Kreativität der Kinder nicht beeinträchtigen.

- Eigentlich bin ich ein Nichts, aber meine Kinder werden es später zu etwas bringen.

- Mein(e) Partner(in) ist schon wichtig, aber nicht so wichtig wie die Kinder.

- Das Leben ist ein Kampf.

- Ich will nur meine Ruhe haben: Um des lieben Friedens willen gebe ich den Kindern, was sie wollen. Schade, daß es meist nicht lange vorhält.

„Starke" Eltern halten etwas auf sich

- Ich bin genauso wichtig wie der Rest der Familie.

- Die Kinder sind wichtig, aber sie müssen sich auch anderen anpassen.

- Ich muß glücklich und gesund sein, um ein guter Vater/eine gute Mutter sein zu können. Ich muß auch etwas für mich selbst machen können.

- Mein(e) Partner(in) und unsere Ehe sind sehr wichtig. Die Kinder kommen (unmittelbar) danach.

- Das Leben ist eine Herausforderung und macht Spaß.

- Manchmal bin ich müde, aber dennoch muß ich den Kindern zeigen, wer der Boß ist. Langfristig ist es einfacher, wenn sie wissen, wo es langgeht.

Einer Veränderung Ihrer inneren Einstellung müssen Sie aber auch Taten folgen lassen. Mit einem Kind, das sich angewöhnt hat, nicht zu gehorchen oder Verzögerungstaktiken anzuwenden, kann man wie folgt verfahren.

Machen Sie sich bewußt

Sie äußern keine Bitte, nichts, was diskutiert werden könnte: Sie stellen eine Forderung, zu der Sie ohne Zweifel berechtigt sind – und das Kind kann nur davon profitieren, daß es lernt, Ihren Forderungen nachzukommen.

Stellen Sie echten Kontakt her

Unterbrechen Sie, was Sie gerade tun, gehen Sie zu Ihrem Kind hin und bringen Sie es dazu, daß es Sie anschaut. Geben Sie Ihre Anweisung erst dann, wenn es Sie anschaut.

Seien Sie unmißverständlich

Sagen Sie „Ich will, daß du jetzt sofort … und , „Hast du verstanden?" Stellen Sie sicher, daß Sie ein „Ja" oder „Nein" zu hören bekommen.

**Wenn die Kinder nicht gehorchen, wiederholen Sie
Ihre Anweisung!**
Diskutieren Sie nicht, argumentieren Sie nicht, werden Sie nicht
ärgerlich oder ängstlich. Atmen Sie langsam und tief durch,
damit Sie ruhiger werden.

Denn Sie wollen Ihrem Kind signalisieren, daß Sie entschlossen sind, auf diesem Punkt zu bestehen und sich nicht einmal
darüber aufzuregen. Das ist der Schlüsselschritt, wichtig ist
dabei, was Sie nicht tun: Sie lassen sich auf keine Debatte und
kein Argumentieren ein. Sie regen sich nicht auf, Sie wiederholen
einfach Ihre Anweisung.

Bleiben Sie in der Nähe
Bleiben Sie in der Nähe, solange die Möglichkeit besteht, daß das
Kind die Anweisung nicht ausführt. Wenn die Sache ausgeführt
ist (zum Beispiel Spielsachen aufräumen), sollten Sie davon kein
großes Aufheben machen. Sagen Sie einfach „Bravo" und lächeln
Sie kurz.

Das eben Beschriebene ist ein Trainingsprogramm. Die ersten
Male mag es ziemlich zeitaufwendig sein, so daß Sie sich denken
„Puh, bis ich mich durchsetze, habe ich die Sachen ja zehnmal
schneller selbst weggeräumt". Aber die hier investierte Zeit wird
sich später tausendfach auszahlen.

DER TRICK BESTEHT EINFACH DARIN, NICHT NACHZUGEBEN.

Der Trick besteht einfach darin, nicht nachzugeben. Wenn das
Kind herausfindet, daß Sie nicht nachgeben, keinen unterhaltsa-
men kleinen Nervenzusammenbruch erleiden, sich nicht ablenken lassen – dann folgt es einfach.

Sie werden feststellen, daß Sie bald einen Tonfall entwickeln und eine Körperhaltung einnehmen, die Ihrem Kind klar signalisiert „Jetzt wird es ernst". Ihr Tonfall ist ein völlig anderer als der, den Sie in Diskussionen, beim Schmusen, Loben oder beim Spiel verwenden. Das Kind erkennt die Stimme als diejenige, die meint: „Tu es sofort, jetzt auf der Stelle!"

121

Und die Kinder werden Ihrer Anweisung nachkommen! Was für ein wunderbares, großartiges Gefühl!

Wie Kinder die Eltern sehen

Wenn sich die Kinder an ihre neuen, nun bestimmt auftretenden Eltern gewöhnt haben, wird man verwundert daran denken, wie schwer man sich das Leben früher gemacht hat. Hier noch einmal zur Verdeutlichung das große allabendliche Theaterstück (die Namen sind geändert, um die Unschuldigen zu schützen).

Es ist fast Zeit zum Schlafengehen

Ulla ist vier (oder sieben oder elf) Jahre alt.

Mami: „Ulla, es ist schon fast Zeit, ins Bett zu gehen. Du fängst am besten schon einmal an, deine Sachen aufzuräumen!"

Ulla (zu sich selbst): „Sie hat ‚fast' gesagt, das heißt ja wohl ‚noch nicht'."

Mami: „Packst du deine Sachen weg?"

Ulla (zu sich selbst): „Denkste"

Mami: „Du weißt doch wie müde du dann morgens bist, Liebling ..."

Ulla (zu sich selbst): „Ah, Mami fängt an zu begründen –

das heißt, sie hat Angst vor mir. Was soll's, bis morgen ist noch eine Ewigkeit Zeit."

Mami: „Komm jetzt Ulla, du willst doch nicht wieder eine Szene machen, oder?"

Ulla (zu sich selbst): „Nur zu gerne!"

Mami: „Schau, ich helf' dir auch dabei, die Puppen auf-zuräumen."

Ulla (zu sich selbst): „Toll, Mami will mit mir spielen!"

Mami: „Hey, tu die Spielsachen wieder zurück; ich hab' sie gerade aufgeräumt."

Ulla (zu sich selbst): „Fang' mich doch!"

Mami: „Ulla, willst du, daß ich wirklich ärgerlich werde?"

Ulla (zu sich selbst): „Ja doch, das ist aufregend."

Mami: „Du bis ein böses, böses Kind."

Ulla (zu sich selbst): „Ich glaub', ich bin es. Ich weiß nicht warum, aber mir gefallen diese Streitereien so gut. Mami ist da so richtig bei der Sache."

Ullas Antworten sind natürlich unhörbar. Wenn Mami das gehört hätte, hätte sie sicher nicht so gut mitgespielt. Die gleiche Szenenfolge ist auch in vielen anderen Situationen anzutreffen und macht folgendes deutlich:

- **Eltern haben Angst vor einem Konflikt; sie zögern und klingen „hoffnungslos", wenn sie erst „fragen", ob das Kind bereit ist mitzuwirken.**

- Eltern begründen ihren Wunsch und merken nicht, daß unterdessen das Kind Zeit gewinnt.

- Eltern sind bei Streitereien meist sehr konzentriert bei der Sache – das Kind freut sich über das Interesse, das es geweckt hat.

- Eltern haben schließlich genug und entladen ihre Wut in einem Ausbruch, der mehr mit Gefühlen und Herabsetzungen besetzt ist, als sie eigentlich wollten.

Das kann frustrierend und schmerzhaft sein, vor allem, wenn es jeden Tag passiert. Gott sei Dank gibt es aber einen Ausweg.

Ärgerlich und entspannt sein zu gleicher Zeit?

Geht das? Natürlich geht das! Einfach so tun als ob!

Als ich dreizehn war, wurde einmal der Chemielehrer aus der Klasse gerufen. Schnell hatten wir die Flaschen mit dem destillierten Wasser zur Hand und führten noch einmal „Zwölf Uhr mittags" auf. Obwohl ich normalerweise eher still und zurückhaltend war, hatte ich mich vorne an der Tafel postiert und spritzte mit allen Kräften die Meute vor mir naß. Plötzlich sah ich, daß die Gesichter vor mir erstarrten, und es wurde mäuschenstill. Im gleichen Moment brüllte der Chemielehrer, der unbemerkt in die Klasse zurückgekehrt war, hinter mir los.

Wie von Zauberhand saß ich sofort wieder an meinem Platz und wagte nicht einmal, von meinem Buch aufzuschauen. Als ich es doch tat, sah ich etwas Erstaunliches: Der Lehrer ließ breit grinsend seinen Blick über die totenstille Klasse schweifen. Mir wurde bewußt, daß er seine Wut nur gespielt hatte und amüsiert den sofortigen Erfolg seines Einsatzes begutachtete.

Diese Reaktion war mir neu. Ich wußte, daß einige Erwachsene wütend werden und außer Kontrolle geraten können, daß andere Angst vor der eigenen Wut haben und sich die Wut dann seltsam verkrümmt äußert. Diese neue Art der Wut gefiel mir viel besser, dennoch beschloß ich, in Zukunft sicherheitshalber lieber auf meinem Platz zu bleiben, wenn der Chemielehrer nach draußen ging.

Die gesamte Menschheit hat sich in den letzen 30 oder 40 Jahren mit dem Problem der Disziplin beschäftigt: Sie sind also nicht die einzige Person! Bis zum 20. Jahrhundert stellten Kinder kein allzugroßes Problem dar: Zwei Drittel von ihnen starben ohnehin; die Übriggebliebenen wurden bis zum Teenageralter kaum wahrgenommen und dann als Erwachsene eingestuft. Gewalt war das normale Mittel der Kontrolle. Es gab eine Zeit, da wurden Siebenjährige in Bergwerksschächte geschickt oder standen tagein, tagaus zehn Stunden lang an Maschinen.

Die Kindheit von heute sieht ganz anders aus. Seit den 50er und 60er Jahren hat man damit begonnen, Kinder auch als Menschen zu achten. Wie bei allem Neuen übertrieb man anfangs, so daß sich die Kleinen zu den wichtigsten Personen der Familie aufschwangen. Es braucht nicht betont zu werden, daß ihnen das nicht gerade gut bekam. Inzwischen finden mehr und mehr Eltern die goldene Mitte. Wir lernen zugleich liebevoll und streng zu sein – und unsere Kinder zeigen sich ausgeglichener.

Das ist schon das ganze Geheimnis selbstbewußter Eltern: Sie haben Rechte und Ihre Kinder brauchen Kontrolle. Das Leben läuft ruhiger und reibungsloser ab – und Sie haben viel mehr Spaß miteinander. Fassen wir noch einmal zusammen:

Bestimmt auftretende Eltern

1. haben keine Angst vor Konflikten;
2. stellen klare Forderungen und geben klare Anweisungen:
3. stellen die Regeln auf und halten die Folgen dieser Regeln konsequent durch:
4. sind verhandlungsbereiter, je älter die Kinder werden.

Manipulative Eltern

1. benutzen Krankheiten und Ähnliches, um Kinder zu disziplinieren;
2. vergleichen Kinder mit anderen usw.

Passive Eltern

1. ziehen sich völlig zurück;
2. geben allen Wünschen der Kinder nach;
3. erlauben den Kindern, sich schlecht zu benehmen usw.

Aggressive Eltern

1. verwenden Ablehnungsmechanismen, um die Kinder zu steuern;
2. schreien die Kinder an;
3. schlagen ihre Kinder in der Wut usw.

Das sind die vier grundsätzlichen Verhaltensmöglichkeiten, die Eltern im Umgang mit ihren Kindern haben. Diese Übersicht soll Sie nicht mit Schuldgefühlen belasten; sie soll Ihnen lediglich als Gedächtnisstütze dienen, nach dem Motto: „Ich habe die Wahl".

Vater sein heißt, der Partnerin den Rücken stärken

Vieles im Leben ist leichter, wenn man die Unterstützung anderer zur Seite hat – das gilt vor allem für die Kindererziehung.

Zweifellos erfordert die Auseinandersetzung mit und das Erziehen von Kindern Entschlossenheit, Mut und Hingabe. Und nichts ist in dieser Lage mehr Balsam für die Seele als die Rückenstärkung durch den Partner.

Früher wurde die Unterstützung durch den Vater eher mißbraucht: „Warte nur, bis Vater nach Hause kommt!" Das waren keine lustigen Zeiten: Die Mutter war tags alleine zu Hause, oftmals überfordert, und bürdete dem Vater auf, abends für Ordnung zu sorgen. Der aber wollte, sobald er nach Hause kam, eigentlich entspannen, mußte jedoch am Ende den bösen Mann mit den Kindern spielen – und sobald Papi wieder aus dem Haus war, spielten die Kinder mit Mami Katz und Maus, und so weiter und so fort.

Es ist wichtig, den Partner zu unterstützen. Jemandem den Rücken zu stärken bedeutet aber nicht, das Kommando zu übernehmen. Beziehungen werden einfacher, wenn die Beteiligten direkt miteinander kommunizieren. Sowie sich an einer Kommunikation aber mehrere Menschen beteiligen, entsteht Verwirrung. Hier ein Beispiel, wie man am besten vorgeht.

128

Der dreizehnjährige Peter quengelt, weil er die schmutzige Wäsche zur Waschmaschine bringen soll. Er wird lauter und beginnt zu fluchen. Sein Vater hört den Streit und schaltet sich ein. Er sagt zu Peter:

„Hör' mal, sprich in normalem Tonfall mit deiner Mutter und regele das mit ihr – jetzt sofort." Er fängt Peters Blick ein und fragt: „Okay?", Peters Antwort „Mmmhh".

Dann marschiert der Vater aus dem Zimmer, bleibt aber in Hörweite. Peter muß also weitermachen und das Wäsche-Problem mit seiner Mutter lösen.

Grundsätzlich gilt: Ein Kind, das mit seiner Mutter etwas verhandelt, soll das auch mit ihr zu Ende bringen. Der Vater sollte lediglich dafür sorgen, daß das Kind bestimmte Grenzen einhält und die Sache vorankommt. Auf diese Art und Weise bleibt alles unkompliziert.

Partner sollten sich gegenseitig unterstützen, beide Elternteile müssen sowohl nachgeben als auch konsequent auftreten können, und sie müssen sich einig sein! Vor 30 Jahren noch galt, daß Männer streng und die Mütter weich waren, die Frauen versuchten, die Härte der Männer auszugleichen. So eine Rollenteilung kann nicht besonders gut funktionieren, weil das Kind beide Elternteile als unausgeglichen erfährt.

Versuchen Sie, einen Weg zu finden, der am besten zu Ihnen paßt. Daß Sie es richtig machen, merken Sie spätestens dann, wenn Sie den Satz „Das ist unfair! Ihr seid beide gegen mich!" zu hören bekommen – Ihr Nachwuchs wird sich dennoch nicht ausgeschlossen fühlen.

TU ES, SOFORT, AUF DER STELLE!

Kinder und der Haushalt

... oder wie man Verantwortungsbewußtsein lehrt

Was ich Ihnen jetzt vorschlage, ist eine Möglichkeit, Ihre Hausarbeit zu delegieren und zugleich Ihre Kinder auf das Erwachsenendasein vorzubereiten!

Viele Eltern, vor allem in der westlichen Welt, machen es ihren Kindern sehr einfach und erledigen alles für sie, ohne sie an der Hausarbeit zu beteiligen. Oft erstaunt es uns, von jungen Erwachsenen zu hören, die zu Hause leben, bekocht werden und denen die Eltern auch noch die Wäsche waschen. Viele junge Leute werden nicht erwachsen (d.h. sie übernehmen keine Verantwortung für ihr eigenes Wohlbefinden und ihre eigene Ernährung), bevor sie die Mitzwanziger erreicht haben. Das gilt vor allem für junge Männer. Vielleicht sind Sie ja mit einem von diesen verheiratet!

Überall sonst auf der Welt, von Nepal und Neuguinea bis Nicaragua, ist es ganz normal, daß auch kleine Kinder Aufgaben erledigen. Und solange sie nicht hart arbeiten müssen – das gibt es leider auch – lernen sie dabei, rechtzeitig Verantwortung zu übernehmen. Diese Kinder bekommen obendrein viel Zuwendung (sie werden nicht vernachlässigt wie viele wohlhabende Kinder) und gehen fröhlich und mit offensichtlichem Stolz ihren Verpflichtungen nach.

Da gibt es auch Zeit zum Spielen, aber das geschieht eher nebenbei. Das Ergebnis dieser „arbeitenden" Kindheit ist, daß in fast allen Kulturen außer bei dem europäisch-amerikanischen Modell die Kindheit problemlos und einfach in das Erwachsenleben einfließt. Wie sind wir nur jemals auf die Idee gekommen, daß die Kindheit ein „Wartezimmer" für das Erwachsenenleben sei?

Was gibt es Besseres, als unseren Kindern zu helfen, als Erwachsene auf eigenen Beinen zu stehen? Und nichts ist hilfreicher, als ihnen eine Aufgabe zu geben. Sie können früh anfangen – schon ab 18 Monaten bis zwei Jahren –, Ihren Kindern eine kleine tägliche Aufgabe zu übertragen.

Fügen Sie Monat für Monat neue Verpflichtungen hinzu. Wählen Sie Aufgaben, die wiederkehren und einfach zu bewältigen sind, das Kümmern um eigene Angelegenheiten miteinschließen und der gesamten Familie zugute kommen: Mit drei Jahren zum Beispiel können Kinder den Tisch decken und immer das eigene Geschirr zum Abwaschbecken bringen. Je älter die Kinder werden, desto einfacher wird es, sich Aufgaben für sie auszudenken.

Erinnern Sie die Kinder an ihre Pflichten, überwachen Sie deren Erledigung und erwarten Sie, daß sie – mit der Zeit – ihre Aufgaben von selbst ausführen. Loben Sie Ihre Kinder und zeigen Sie, daß Sie stolz auf sie sind. Übertreiben Sie aber nicht, denn was sie erledigen, ist nichts Großartiges – es ist einfach das, was man von ihnen erwarten darf.

Heutzutage wird viel Aufhebens um das Selbstwertgefühl der Kinder gemacht und darum, wie wichtig es sei, sie zu loben und ihre Leistungen zu würdigen. Dabei sollte man jedoch nicht übersehen, daß echtes Selbstwertgefühl nur entsteht, wenn Kinder etwas zur Gemeinschaft beitragen können.

Wenn Kinder ihren Stellenwert nicht einzuschätzen wissen und nichts Wirkliches für ein harmonisches Zusammenleben tun, können sie dem Wahn verfallen, „junge Talente" zu sein. Sie entwickeln ein aufgeblasenes Selbstbild, und sind sie dann irgendwann, fern von Mami und Papi, sich selbst überlassen, werden sie sich schwertun.

Kleine Aufgaben bereiten auf größere vor. Teenager, die seit ihrer frühesten Kindheit zu Hause im Haushalt mitgeholfen haben, sind lebensfähiger, da Alltägliches zur Routine wird. Ihr Ziel sollte sein, eine Person zu erziehen, die mit 18 Jahren einen Beitrag zum Haushalt leistet, der dem der Eltern ziemlich nahe kommt: d. h. mindestens einmal pro Woche für die ganze Familie zu kochen und die Verantwortung für zumindest einen Alltagsbereich zu übernehmen.

Wenn Sie den Kindern verschiedene Aufgaben zuweisen, achten Sie auch darauf, daß Sie eine ausgewogene Mischung finden zwischen Jobs, die sie gerne tun und solchen, die unangenehm sind. Auch hier sollten Sie

131

die Möglichkeiten realistisch einschätzen – wie im Erwachsenenleben auch.

Und was ist mit der Schule? Nun, wenn Prüfungen anstehen, muß dem Rechnung getragen werden. Aber in der Regel sind Schule und Hausaufgaben einfach „Tagesjobs", die kein Kind davon abhalten sollten, einen Beitrag zum Haushalt zu leisten.

Vergegenwärtigen Sie sich, daß Sie Kompetenz auf allen Gebieten des täglichen Lebens anstreben: Kochen, Saubermachen, Waschen, Tierpflege, Umgang mit Geld und mit der Zeit, Verhandlungsgeschick und Teamwork!

Wenn Ihre Sprößlinge ausziehen, sollten sie in der Lage sein, sich in jeder Hinsicht um sich selbst zu kümmern. Womöglich machen sie sich sogar früher auf den Weg, um all der Arbeit zu Hause zu entkommen!

Familienstrukturen
Papi? Wer ist Papi?

Was für ein Bild entsteht vor Ihrem geistigen Auge, wenn Sie das Wort „Familie" hören? Ältere Menschen werden sich eine Versammlung von 30 oder 40 Menschen vorstellen – Tanten, Onkel, Kusinen und andere. Verwandte, die meist in der gleichen Stadt wohnten und mehrmals im Jahr zusammenkamen, wenn nicht sogar jeden Sonntag zum Mittagessen.

In diesem Sinne existiert die Familie heute nicht mehr. Seit das Auto erfunden wurde und jeder in einer anderen Stadt wohnt, gibt es – in den industriell hoch entwickelten Ländern – keine Großfamilie mehr. Die „Zwei-Kinder-Eltern-Hund-Familie" ist nur der Bruchteil eines Familienverbundes und funktioniert deshalb auch nicht besonders gut.

Zunehmend ist auch die Zahl der alleinerziehenden Mütter oder Väter und neu zusammengestellten Familien mit nur einem Elternteil und einem neuen Papi oder einer neuen Mami, die oft auch noch die eigenen Kinder mitbringen. Das ist nicht unbedingt eine schlechte Sache, doch das Familienleben hat sich dadurch sehr verändert.

Die Familienstruktur hat einen wichtigen Einfluß auf die Entwicklung der Kinder. Und Sie können Ihre Familie selbst zu einem lebens- und liebenswerten Ort umbauen.

Oftmals wird die Auflösung der Familie für alle sozialen Übel verantwortlich gemacht.

„Wo willst du hin, junger Mann?"

„Rüber zum Fußballstadion, um die gegnerischen Fans aufzumischen, Mami!"

„Nun ja, komm' aber nicht zu spät nach Hause!"

Oberflächlich betrachtet, scheint das zu stimmen. Was aber ist die Ursache für den Zusammenbruch von Familienstrukturen? Haben Sie jemals gesehen, in welchem Umfeld Fußball-Hooligans aufwachsen? Kennen Sie die Lebensbedingungen in Soweto und Belfast?

Zunächst spielt das Einkommen eine große Rolle. Unter einem gewissen wirtschaftlichen Niveau ist es besonders schwer, glück-

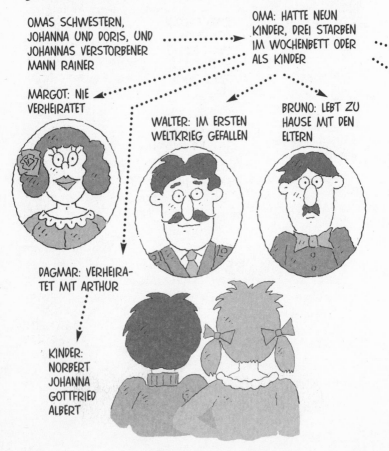

OMAS SCHWESTERN, JOHANNA UND DORIS, UND JOHANNAS VERSTORBENER MANN RAINER

OMA: HATTE NEUN KINDER, DREI STARBEN IM WOCHENBETT ODER ALS KINDER

MARGOT: NIE VERHEIRATET

WALTER: IM ERSTEN WELTKRIEG GEFALLEN

BRUNO: LEBT ZU HAUSE MIT DEN ELTERN

DAGMAR: VERHEIRATET MIT ARTHUR

KINDER:
NORBERT
JOHANNA
GOTTFRIED
ALBERT

liche Kinder aufzuziehen. Über einer bestimmten Grenze jedoch ändern sich die Bedürfnisse und verlagern sich vom Materiellen zum Ideellen. Bildung, Erziehung, intakte Gemeinwesen vor Ort, Zugehörigkeitsgefühl, Teilnahme, Arbeit mit anderen: Das sind wichtige Voraussetzungen für eine gesunde Entwicklung starker Familienstrukturen.

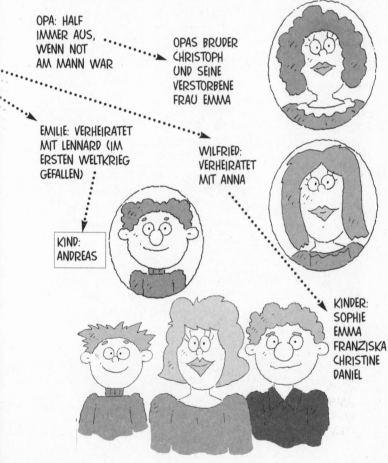

OPA: HALF IMMER AUS, WENN NOT AM MANN WAR

OPAS BRUDER CHRISTOPH UND SEINE VERSTORBENE FRAU EMMA

EMILIE: VERHEIRATET MIT LENNARD (IM ERSTEN WELTKRIEG GEFALLEN)

WILFRIED: VERHEIRATET MIT ANNA

KIND: ANDREAS

KINDER: SOPHIE EMMA FRANZISKA CHRISTINE DANIEL

137

Tausende von Jahren haben die Menschen in Dörfern und kleinen Städtchen gelebt. Und selbst dann, als vor etwa 200 Jahren die modernen Städte entstanden, lebten die Menschen weiterhin mehr oder weniger im selben Stadtteil wie der überwiegende Teil ihrer Verwandten. Die Struktur einer Familie entsprach in etwa den Verwandtschaftbeziehungen auf der „Ahnentafel" auf den beiden vorhergehenden Seiten.

Wie Sie sehen, ist das eine ganz hübsche Ansammlung von Leuten. Obwohl die Zeiten hart waren, Familienmitglieder im Krieg umkamen, im Wochenbett und in früher Kindheit verstar-

Margot (die Unverheiratete) liebt Kinder und nimmt die kleine Johanna oft zu sich. Damit hilft sie Dagmar, die mit den drei Jungen bereits sehr gefordert und öfters überlastet ist. Margot unterstützt sie obendrein zwei- oder dreimal in der Woche beim Kochen und Saubermachen.

Emilies Mann Lennard fiel im Krieg. Zwei Jahre nach Kriegsende bekam sie ein uneheliches Kind, Andreas. Wilfried und Anna nahmen sie auf, so daß keiner außerhalb der Familie etwas davon mitbekam.

Opa ist schon ein bißchen wunderlich und meint beim Aufwachen immer, daß er gerade in Versailles einmarschiert ist. Glücklicherweise wohnt sein jüngster Sohn, Bruno, zu Hause und kümmert sich um den Bauernhof.

Wilfried mag keine Kinder und ist oft unterwegs, aber Arthur mag Kinder und nimmt die Jungen häufig zum Angeln, zum Fußball oder anderen Unternehmungen mit, so daß diese meist gut aufgehoben sind.

ben, blieb noch immer eine Großfamilie, die jedem Mitglied Halt gab.

Die 24 Mitglieder unserer hypothetischen Familie leben nicht alle unter einem Dach (sie verteilen sich auf sechs Haushalte), doch kaum eine Woche vergeht, ohne daß sie sich nicht aus irgendeinem Anlaß treffen. Die Familieneinheit war in der Lage, Probleme wie Krieg, Krankheit, Tod, Emilies „Fehltritt", verschiedene Mißgeschicke und andere Unglücksfälle gemeinsam zu meistern: Jeder hatte seinen Platz und der Zusammenhalt der Großfamilie bot Sicherheit.

Wenn einer nicht alles geben konnte, was die Kinder brauchten, gab es andere, die einsprangen. Keiner wurde alleingelassen – jeder fand Hilfe, Rat und Vorbilder. Junge Menschen sammelten bereits Erfahrungen mit den Kindern anderer Familien, mit den eigenen Brüdern und Schwestern, bevor sie selbst Kinder bekamen. Selbst wenn man keine Kinder hatte, lebte man mit welchen zusammen.

Es gab natürlich auch viele Einschränkungen und Anforderungen, und nicht viele von uns würden heute – selbst wenn sie es könnten – zurückkehren wollen in den Schoß dieser erweiterten Familie. Aber die positiven Seiten, die diese Familie für die Eltern hatte, können wir uns diese nicht wieder holen? Ich glaube schon, und ich möchte Ihnen auch zeigen wie.

Man muß nicht verwandt, sondern nur verbunden sein!

Betrachten wir einmal die einsamste aller modernen Familien: die alleinerziehende Mutter oder den alleinerziehenden Vater mit ein oder zwei kleinen Kindern (manche würden dagegenhalten, daß es noch eine einsamere Variante gibt, nämlich unglücklich verheiratete Eltern, die sich lieber trennen möchten).

Was fehlt in dieser einsamen Variante?

Die Großeltern leben nicht in der Nähe – heutzutage zieht man viel um.

Andere Erwachsene, die ein Interesse an den Kindern zeigen könnten, gibt es keine – Tanten und Onkel, die Zeit für die Kinder haben, sind rar.

Es gibt auch keinen Vaterersatz, mit dem man spielen könnte und der der Mutter bei Auseinandersetzungen um das Gehorchen und bei wichtigen Entscheidungen den Rücken stärken könnte (wenn Sie alleinerziehende Mutter sind).

Es gibt keine Frau, die sich in „Mädchendingen" auskennt, die tagsüber in die Schule geht, um mit den Lehrern zu sprechen, mit der Fragen der Disziplin und anstehende Entscheidungen besprochen werden können (wenn Sie alleinerziehender Vater sind).

Es gibt auch keine anderen Kinder, mit denen das eigene spielen kann, und keine sicheren Plätze, wo Kinder sich außerhalb der eigenen Wohnung aufhalten könnten.

Und wenn es wirklich hart auf hart kommt, gibt es niemanden, mit dem man sich aussprechen, dem man vertrauen könnte, der einfach deshalb materiell aushelfen würde, weil man „zur Familie gehört".

Die Tatsache, daß diese Unterstützung nicht zur Verfügung steht, bedeutet jedoch nicht, daß sie nicht zu finden wäre.

Die erweiterte Familie der Zukunft

Zum Beispiel haben ältere Menschen Kinder oft sehr gerne. Wäre es da nicht möglich, einige in der Nähe lebende „Opas und Omas" zu finden und in Ihre Familie aufzunehmen (Sie helfen

DIE ANDEREN FRAUEN, DIE SIE AN IHREM
ARBEITSPLATZ TREFFEN

DER JUNGE, DER ANDEREN BEI DER GARTENARBEIT HILFT

DIE JUNGE FRAU MIT DEN KINDERN, DER MAN STÄNDIG
ÜBER DEN WEG LÄUFT

DER NETTE VATER MIT SEINEN KINDERN, DEN SIE AUF EINEM
GRILLFEST KENNENLERNTEN

DIE BURSCHEN, DIE EIN PAAR HÄUSER WEITER WOHNEN, DIE
MIT DEN JUNGS IMMER ZUM FUSSBALL GEHEN

DIE ALTE DAME, DIE NACHBARN NEBENAN

bei Reparaturen oder beim Einkauf, dafür passen sie auf die Kinder auf)?

Sind da nicht andere Alleinerziehende, oder auch Nicht-Alleinerziehende in der Nachbarschaft, die unter akuter Einsamkeit leiden? Weshalb wohl nehmen Menschen an Kaffeefahrten teil, doch nicht, um Kaffee zu trinken oder um Sonderangebote zu kaufen! Sie nehmen teil, weil sie etwas unternehmen, sich mit anderen unterhalten möchten.

Sie können sich über Gruppen informieren, die sich in Ihrer Nähe zusammengefunden haben. Spielgruppen sind wie Sonntagnachmittage bei der Großmutter, da können die Kinder spielen und die Erwachsenen sich unterhalten und austauschen. Kurse an den Volkshochschulen sind gute Treffpunkte und meist von freundlicher Atmosphäre geprägt. Veranstaltungen in Schulen und Kindergärten, die Klinik, der Friseur, der Sportverein, die Kirche: alles Orte, an denen Kontakte geknüpft werden können.

Es ist nicht so einfach, wie es sich anhört; es kann mühsam sein, sich Beziehungen aufzubauen, und wenn man umzieht, muß man wieder von vorne anfangen. Dennoch kann man sich tatsächlich eine erweiterte Familie schaffen, und wenn schon nicht für sich selbst, dann eben für die Kinder.

Beziehungskisten

Ein anderer Aspekt der Familienstruktur ist sehr wichtig, selbst dann, wenn Ihre Familie die üblichen zwei Erwachsenen, zwei

Kinder und ein Haustier umfaßt. Als Sie anfingen, war alles einfach: Da gab es nur Sie beide, und vermutlich hatten Sie eine schöne Zeit miteinander.

Dann wurden die Kinder geboren, und die Dinge fingen an, kompliziert zu werden. Viele Eltern finden sich dann in einer der drei nachfolgenden „Beziehungskisten" wieder:

(1)

(2)

(3)

143

Vermutlich haben Sie alle drei Situationen schon einmal durchlaufen. Je mehr Kinder Sie haben, desto komplizierter und schwieriger kann es werden:

Diese Konstellationen sind ganz normal, sie variieren in jeder Familie von Zeit zu Zeit; wenn sich jedoch eine davon verfestigt, so können Probleme entstehen. **Entscheidend ist, wie vertraut Mütter und Väter miteinander umgehen.**

Aus meiner Erfahrung mit Hunderten von Familien, die um Hilfe nachgesucht haben, ergibt sich, daß Kinder am glücklichsten aufzuwachsen scheinen, wenn Mami und Papi aneinander interessiert sind und liebevoll miteinander umgehen – und zwar in einem Ausmaß, daß die Kinder sich nicht zwischen sie drängen können, auch wenn sie es versuchen (was sie tun!).

Ein Experte erlangte Berühmheit für seine Ansicht, daß die beste Sexualerziehung auf der Welt darin bestünde, daß Papi der Mami im Vorbeigehen in den Hintern kneife und Mami das offensichtlich genieße! Alles andere sei nur Klempnerarbeit! Im Interesse der Gleichberechtigung will ich aber hinzufügen, daß die Wirkung sicherlich die gleiche wäre, wenn es sich umgekehrt verhielte (Mami kneift dem Papi in den Po).

Kinder scheinen wirklich aus der Tatsache, daß die Eltern Zeit miteinander verbringen und daß sie dabei keine Unterbrechungen dulden, ein Gefühl der Sicherheit zu gewinnen. Wenn Sie sich noch nicht angewöhnt haben, in bestimmten Situationen auf Ihrer Zweisamkeit zu bestehen (und Ihre Kinder Sie jederzeit unterbrechen können), dann wird es eine Weile dauern, bis Sie dieses eingefahrene Gleis verlassen können.

Als ich einmal hörte, wie eine gutmeinende Tante zu einem Neunjährigen, dessen Vater gerade gestorben war, sagte, er solle

Probleme gibt es immer, wenn ...

... ein Elternteil sich öfter gegen den anderen auf die Seite des Kindes stellt.

... ein Elternteil Zuneigung und Zustimmung bevorzugt beim Kind sucht anstatt beim Partner.

... ein Kind zu oft in die Erwachsenenrolle gedrängt wird, sich zum Beispiel um kleinere Geschwister kümmern muß oder an Entscheidungen beteiligt wird, die eigentlich Sache der Eltern sein sollten.

„jetzt ein Mann sein und sich um seine Mutter kümmern", war ich richtig wütend. Kinder sollten Kinder bleiben dürfen!

Jeder Mensch reagiert anders, und kein Ratschlag hat für jeden die gleiche Gültigkeit. Alles, was ich tun kann, ist, Ihnen zu erzählen, was ich herausgefunden habe und was vielleicht auf Sie und Ihre Kinder zutrifft:

1. Bei alleinerziehenden Eltern sind die Kinder glücklicher, wenn die Mutter oder der Vater eine enge, liebevolle Partnerschaft mit einem anderen Erwachsenen unterhält. Ob der andere Erwachsene des gleichen oder des anderen Geschlechts ist, spielt dabei keine große Rolle.

2. Wenn die Partnerschaft der Eltern in echte Schwierigkeiten gerät und die Streitereien kein Ende nehmen (es sich also nicht um jene immer einmal wieder auftretenden Konflikte handelt, die in allen Partnerschaften vorkommen), dann spüren Kinder das ganz deutlich. Der Konflikt kann vor den Kindern nicht verheimlicht werden, egal, was man macht, um ihn zu vertuschen. Es ist eher so, daß es besser ist, wenn die Kinder den Konflikt miterleben, wenn er offen ausgetragen wird und die Kinder spüren, daß sie nichts dafür können – anders stellt es sich allerdings dar, wenn die Eltern ihren Konflikt gewaltsam, grausam oder verletzend miteinander austragen.

3. Ein Kind ist glücklicher mit einem alleinerziehenden Elternteil als in einer unglücklichen Ehe. „Wegen der Kinder" zusammenzubleiben, obwohl die Ehe Sie unglücklich macht, ist ein Fehler.

Neulich erschien ein Paar vor dem Scheidungsrichter – der Mann war 91, die Frau 86. Der Richter fragte, warum sie sich nach all den Jahren scheiden lassen wollten. Sie antworteten wie so viele Paare vor ihnen:

„Weil wir uns überhaupt nicht ausstehen können!"

„Warum haben Sie dann solange gewartet?", fragte der Richter verwundert.

„Weil wir", antwortete das Paar, „warten wollten, bis die Kinder gestorben sind".

Alleinerziehende Mütter

Alleinerziehend zu sein hat Vor- und Nachteile. Der Vorteil ist, daß man nicht mit verschiedenen Ansprüchen leben muß, keine Konflikte mit dem Partner hat und so weiter. Sie sind der Boß! Getrennt lebende Mütter haben uns oft erzählt, daß ihr Leben sehr viel einfacher verläuft – zum Beispiel hätten sie keinen Feierabendstreß mehr, der entstand, wenn der Mann hungrig von der Arbeit nach Hause kam und die Kinder aufgedreht und anspruchsvoll waren. Andererseits ist vieles, wie zum Beispiel Disziplin von den Kindern einzufordern, sehr viel schwieriger alleine durchzustehen. Schauen wir uns deshalb diese Seite an.

Wenn die Kinder größer werden, ist es manchmal notwendig, sich mit viel Kraft und Ausdauer um sie zu kümmern. Sie merken, daß Sie die Kinder zum eigenen und deren Wohl etwas an die Kandare nehmen müßten, haben aber nicht die Kraft dazu. Besonders Jungen sind in bestimmten Altersphasen für alleinerziehende Mütter nur schwer zu bändigen. Einige Jungen scheinen ein geradezu „biologisches" Bedürfnis nach Konflikten zu haben. Sie möchten stark und beständig kontrolliert werden, sie müssen lernen, ihre Kraft und ihre Rebellion zu zügeln, damit sie sich mit

anderen Menschen vertragen. Sie suchen die Auseinandersetzung und entspannen sich erst, wenn sie diese durchgestanden haben. In diesen Zeiten könnte ein Vater ganz brauchbar sein.

Es scheint so, daß Kinder sowohl „väterliche" als auch „mütterliche" Erziehungsmaßstäbe brauchen, um gesund aufzuwachsen. Wenn es notwendig ist, kann auch die Mutter väterlich und der Vater mütterlich sein. Die Lektion der feministischen Ära ist klar und deutlich – Frauen und Männer sind so unterschiedlich nicht. Eine Frau kann alles tun, was ein Mann tut und umgekehrt (mit ein paar offensichtlichen biologischen Ausnahmen!). Der Unterschied ist nur, daß ein Mann sich zum Beispiel leichter damit tut, auf eine robuste Art mit den Kindern umzugehen.

Alleinerziehende Mütter können diese Härte auch aufbringen, doch kostet es sie viel Energie, weil diese Härte Ausfluß des männlichen Vergnügens am Kampf ist – und das ist etwas, was Frauen nicht immer sofort parat haben. Eine alleinerziehende Mutter wird sich deshalb Härte antrainieren und gleichzeitig versuchen müssen, ihr Mitgefühl und ihre ausgleichenden Qualitäten nicht zu verlieren.

Viele alleinerziehende Mütter und Väter haben uns erzählt, daß sie diese „biologischen" Fakten beachten und einfach gelernt hätten, von der einen Art des Umgangs mit den Kindern in eine andere „umzuschalten".

Zehn Minuten, die Ihre Ehe retten können

Möchten Sie die schlimmste Zeit am Tag in die schönste verwandeln? Hätten Sie gerne etwas mehr Romantik, Wärme, Freundschaft und Entspannung in Ihrem Leben – und zwar für immer? Da habe ich etwas für Sie: eine Ritual, das Sie sich täglich, oder wann immer Sie es brauchen, gönnen können, damit Ihre Abende mit dem Partner zum Vergnügen werden und Ihre Ehe glücklich bleibt. Ohne Scherz – das funktioniert!

Haben Sie oder Ihr Partner, wenn Sie abends nach Hause kommen, sich nicht angewöhnt, die Entspannung zu verschieben und erst die Dinge zu erledigen, die zu tun sind – Abendessen, Hausarbeit, Kinder usw.?

Das funktioniert ganz gut, solange die Kinder klein und um sieben im Bett sind. Sowie sie aber älter werden, müssen Sie länger warten, bis Sie wieder allein zusammen sein können. Früher hatten Eheleute mehr Zeit füreinander und konnten leichter wieder miteinander in Einklang kommen. Das schnelle Tempo unserer heutigen Arbeitstage hat aber zur Folge, daß wir – wie sich unterschiedlich schnell drehende Kreisel – aufgedreht sind, wenn wir nach Hause kommen. Es ist dann schwer, mit dem Partner Verbindung aufzunehmen. Ja es ist so, daß viele Paare den ganzen Abend aufeinanderprallen und sich erst spät in der Nacht aufeinander einstimmen können – wenn dann noch Energie und Motivation da ist! Deshalb müssen wir dafür sorgen, daß wir uns in Einklang bringen können. Und um das zu bewerkstelligen, geht man wie folgt vor:

Kommen Sie zusammen!

Sobald Sie nach Hause kommen, sollten Sie sich hinsetzen und sich ein paar Minuten Zeit füreinander nehmen. Während Sie das tun, sollten Sie ...

... etwas essen!

Knabbern Sie ein paar Nüsse, essen Sie ein Stück Käse, Wurst, Obst, irgend etwas Gehaltvolleres, was Ihren knurrenden, auf das Abendessen schielenden Magen beruhigt und Ihnen sofort etwas Energie gibt.

150

Kinder beiseite!

Die Kinder, die am frühen Abend oft genug die einzigen sind, die jederzeit Zuwendung und Aufmerksamkeit bekommen, müssen sich zurückziehen. Wenn sie das im gleichen Zimmer können, ist das in Ordnung, wenn nicht, schicken Sie sie aus dem Zimmer. Sie kommen später dran. Bestehen Sie darauf! Es handelt sich ja nur um zehn Minuten.

Trinken Sie etwas!

Sofern Sie überhaupt Alkohol trinken, dann bietet sich jetzt die Gelegenheit dafür. Ein Glas Wein, ein Bier, die Knabbereien, sie helfen Ihnen, sich schnell zu entspannen.

Reden Sie!

Aber nur wenn Sie möchten. Und wenn Sie reden, dann nehmen Sie sich etwas Positives zum Thema. Vermeiden Sie das alte Ehepaarspiel „Wer hatte den schlimmeren Tag?" Entweder Sie reden über etwas Angenehmes oder Sie sitzen nur so da und freuen sich daran, zusammen zu sein.

Es dauert nicht lange, und Sie haben sich soweit „heruntergefahren", daß Sie mit den abendlichen Aktivitäten beginnen können: Sie können gelassen das Abendessen zubereiten, weil Ihnen der Magen nicht mehr knurrt. Oder Sie spielen mit den Kindern, wenn Sie der/diejenige sind, der/die den ganzen Tag nicht zu Hause war. Sie werden merken, daß alles viel leichter von der Hand geht, weil sich Ihr ganzer Rhythmus – einschließlich der Pulsfrequenz – auf den Rhythmus Ihres Partners eingestellt hat. Dieses tägliche Ritual ist so einfach, und doch hat es eine ungeheure Wirkung. Es rettet Ehen. Es ist unkompliziert. Versuchen Sie es einmal!

Altersphasen

Kann das normal sein?

Zweifellos verändern sich Kinder. Was man richtigerweise zu einem Dreijährigen sagt, wird auf einen Siebenjährigen schon nicht mehr zutreffen. Und mit einem Siebenjährigen spricht man anders als mit einem Teenager. Eine Vorstellung von den Altersphasen hilft dabei, zu erkennen, was in einem bestimmten Alter vor sich geht und wie man am besten darauf reagiert.

Die im folgenden beschriebenen Altersphasen stützen sich auf die Arbeiten von Jean Illsley-Clarke, die die nachfolgenden Phasen herausgearbeitet hat. Ich möchte sie Ihnen an dieser Stelle genauer vorstellen.

0 bis 6 Monate:	**Kann ich diesen Leuten vertrauen?**
6 bis 18 Monate:	**Die Welt entdecken!**
18 Monate bis 3 Jahre:	**Denken lernen**
3 bis 6 Jahre:	**Andere Leute**
6 bis 12 Jahre:	**Ich hab's selbst geschafft!**
12 bis 18 Jahre:	**Fertig zum Aufbruch**

0 bis 6 Monate

Der Säugling kommt auf die Welt und scheint ein Wesen von einem anderen Stern zu sein. Seine ersten Gedanken sind noch ziemlich unklar, aber sie haben viel mit folgenden Fragen zu tun:

„Bin ich hier sicher?"

„Wer füttert mich?"

„Wo ist mein Wasserbett hingekommen?"

„Diese Leute schauen nett aus. Wie bringe ich sie dazu, bei mir zu bleiben?"

„Was ist denn das für ein komisches Zeug, auf dem ich da sitze?"

Es hat gar keinen Zweck, Ansprüche zu stellen oder einen Säugling zu „erziehen", weil er erst einmal „alles in sich aufnimmt". Da er sich nicht ausdrücken kann, müssen Sie erraten, was er braucht (neue Windeln, etwas zu essen, schmusen, Bäuerchen machen, umhergetragen werden usw.).

Es ist wichtig, daß Sie nie die Hilfeschreie eines Säuglings ignorieren. Wenn man das Geschrei zu lange nicht beachtet, kann das zu Passivität und Depression führen. Genauso wichtig ist es aber, ein Baby für einige Augenblicke schreien zu lassen, damit es lernt, daß es durchaus etwas tun kann, um seine Bedürfnisse befriedigt zu bekommen – daß die Schreie Hilfe herbeibringen. Ein Kind, das immer gefüttert wird, bevor es sagen kann, daß es hungrig ist, kann später Probleme damit haben, herauszufinden, was es will.

Massagen, Schmusen, Geräusche, ein offener Blick ins Gesicht, ein Lächeln, all das fördert das Glücklichsein und die Intelligenz unserer Kinder. Diese Kinder schlafen gut, essen gerne und lernen einfacher. Übrigens beseitigen Massagen Verstopfungen bei Säuglingen mit erstaunlicher Geschwindigkeit! (Vorsicht, daß Sie nicht getroffen werden!)

Haben Sie schon einmal davon gehört, daß Babies in anderen Ländern permanent in Tüchern und Tragetaschen herumgetragen werden? Auf Bali zum Beispiel wird mit großem Zeremoniell gefeiert, wenn das Kind mit sechs Monaten „zum ersten Mal die Erde berührt". Vorher wird es vom ganzen Dorf immer herumgetragen. Das ist für uns unvorstellbar, sollte uns aber zum Nachdenken anregen.

6 bis 18 Monate

In diesem Alter bringen sich Kinder viel selbst bei, sie sammeln Erfahrungen in der großen, wunderbaren Welt, die sich ihnen durch Schmecken, Greifen, Schieben, Tragen, Ziehen und das Verzehren von allem, was ins Auge fällt, erschließt.

Viele Eltern finden diese Phase besonders anstrengend. Das Kind entwickelt sehr schnell erstaunliche körperliche Fähigkeiten – es steht, krabbelt, läuft, öffnet Schränke, zieht an Tischtüchern und ist flink wie ein Wiesel – besonders dann, wenn wir mal nicht hingucken. Es hat einen schier unersättlichen Entdeckungsdrang – und auch die besten Eltern haben keine tausend Augen (Mottenkugeln, Medikamente, Putzmittel und Ähnliches müssen jetzt in unerreichbaren Schränken verschwinden).

Gleichzeitig haben unsere Zwerge noch keine Ahnung von Regeln und Gründen, Gefahren und Konsequenzen. Sie sind „voller Aktion" – und wir müssen versuchen, diese Aktion zu steuern. Das ist für Eltern auch körperlich eine Herausforderung (ein Vater hat einmal versucht, einen Tag lang alles zu nachzumachen, was sein Kleinkind tat. Er blieb am Nachmittag erschöpft auf der Strecke ...).

Haben Sie Kinder in diesem Alter, ist es besonders wichtig, daß Sie sich Pausen gönnen und ein paar Stunden für sich selbst haben. Sie können viel Energie sparen, wenn Sie in der Wohnung eine sichere, kindgerechte Zone einrichten – Sie müssen dann nicht unablässig aufpassen und „Nein" sagen. Stellen Sie die Stereoanlage und alles Zerbrechliche hoch, verschieben Sie das Renovieren Ihrer Wohnung, und lassen Sie Ihr Kind in Frieden herumkrabbeln.

Ein Kind in diesem Alter sollte spielen und entdecken dürfen – während Sie für seine Sicherheit sorgen.

18 Monate bis 3 Jahre

In diesem Alter beginnt das Kind nachzudenken. Man kann also anfangen, einfache Erklärungen für die Dinge zu geben.

„Die Katze bekommt Angst, wenn du sie zu sehr drückst. Warte, ich zeig' dir, wie man sie sanft streichelt"

Mitte der siebziger Jahre, ich hatte gerade meinen Abschluß in Psychologie gemacht und wußte mehr über Ratten als über Kinder, bekam ich meinen ersten Job in der Schulbehörde. Ich sollte mich um Schüler kümmern, die nach Ansicht ihrer Lehrer „dumm" waren. Mit Hilfe kleiner Tests sollte ich herausfinden, wie dumm die Kinder wären – als ob ihnen das geholfen hätte.

Ich mache meinen damaligen Vorgesetzten keinen Vorwurf. Sie waren für das psychologische Wohlergehen von über 3000 Schülern in neun Schulen verantwortlich, und die Tests sorgten dafür, daß man etwas zu tun hatte.

Ich beschloß, etwas mehr zu tun als Intelligenztests anzuwenden. Ich schulte Mütter, die Kindern beim Lesenlernen helfen wollten. Ich hielt Vorträge vor Lehrern über die Selbstwertgefühle ihrer Schüler. Ich hörte geduldig vielen geplagten Eltern zu. Und eines Tages besuchte ich eine Mutter, deren Sohn in der Schule Probleme hatte.

Das Haus draußen auf dem Land sah ziemlich heruntergekommen aus. Ich zog meine Krawatte aus, bevor ich hineinging. Die Mutter des Jungen sah alt und müde aus, und unser Gespräch verlief mühsam. Auf dem abgenutzten, staubigen Linoleumboden in der Küche saß ein Kleinkind und schaute uns stumpfsinnig an. Kein Spielzeug war zu sehen. Von Zeit zu Zeit riß das Kleine einen Schrank auf und zog an den Geräten, die sich darin befanden. Dann stand die Mutter auf, maßregelte das Kind, schlug die Schranktür zu und redete weiter.

Auf der Heimfahrt war ich wütend und ratlos zugleich. Für diese Mutter war ein gutes Kind ein stilles Kind. Ich wußte, daß dieses Kind – ohne Spielzeug, ohne Ermutigung zum Spiel, ohne Bücher und Geschichten – irgendwann auf der Liste der Schulpsychologen mit „Verdacht auf geistige Zurückgebliebenheit" enden würde ...

Ihr Kind wird jetzt auch öfter zornig und lernt, „Nein, ich will nicht", „Das ist mir egal" zu sagen. Eltern müssen jetzt anfangen, klare Grenzen zu setzen. Das Kind wird diese Grenzen testen. Und die Eltern müssen fest bleiben – fest und noch einmal fest. Die Kraftproben mit Trotzkindern sind anstrengend, überlegen Sie deshalb einmal in Ruhe, was wirklich wichtig ist und was nicht, um Energie zu sparen.

Manchmal wollen die Kinder unabhängig sein und dann wieder sind sie extrem anlehnungsbedürftig, vor allem, wenn ein neues Kind geboren wird. Das ist ganz natürlich, und das Kind wird, wenn seine Bedürfnisse befriedigt wurden, bald wieder anfangen „zu wachsen".

3 bis 6 Jahre

In diesem Alter fangen Kinder an, miteinander und nicht mehr nur nebeneinander zu spielen. Es ist deshalb gut, wenn andere Kinder da sind, mit denen sie zusammen spielen können.

Vera gehörte zur Sorte Eltern, die einem das Gefühl vermitteln, selbst wieder Kind zu sein. Ihre Ausstrahlung versetzte einen in die träumerische Erinnerung an frischgebackene Plätzchen. Sie hatte eine schnelle Auffassungsgabe und Humor und konnte einen jungen Schulpsychologen ganz schön in seine Schranken weisen. Also entschloß ich mich, von ihr zu lernen, anstatt sie belehren zu wollen – und was ich da lernte! Vera erzählte, wie ihr achtjähriger Sohn Dietmar unmerklich, aber stetig temperamentvoller wurde und sowohl sich selbst als auch seinen Mitmenschen im Wege stand. Nach einem besonders heftigen Wutausbruch überlegte Vera gründlich, woran das wohl liegen könnte, und fand eine Lösung, die sowohl originell als auch tiefgründig war.

Sie holte ein verstaubtes Familienalbum vom Dachboden (das die Kinder noch nie gesehen hatten) und blätterte es mit Dietmar durch. Sie zeigte ihm Bilder, auf denen gestandene Männer der Familie abgebildet waren, Großvater Ludwig als Junge, Großonkel Alfred, Vetter Dieter. Es war zu sehen, wo sie gelebt und was sie gemacht hatten. Dietmar schaute sich fasziniert die wettergegerbten Gesichter und die altmodischen Kleider an, währenddessen Vera weitererzählte: „Alfred war ein toller Typ, aber ziemlich eigensinnig. Großvater hatte als Junge ein aufbrausendes Temperament, heißt es." Vera legte eine Pause ein, und Dietmar fragte sich, wohin das führen sollte. Vera blätterte weiter:

„Was passierte mit seinem Temperament, Mami?" „Vermutlich ist er da einfach herausgewachsen. Schau, hier ist ein Sportfest ..."

Dann kamen die anderen Kinder herein, und Vera überließ ihnen die Fotos, um Tee zu machen. Dietmar hat nie wieder einen extremen Wutanfall bekommen, auch wenn er manchmal ganz schön stur sein konnte. Vermutlich ist er da einfach herausgewachsen.

Und jetzt beginnt die Zeit der endlosen Fragen: Wann? Warum? Wie? Was ist, wenn? Und wieder: warum?

Wenn Ihr Kind Ihnen die Ohren vollquasselt, dann denken Sie daran, daß dies die Zeit der Sprachentwicklung ist, und trösten Sie sich damit, daß Sie womöglich später weniger Geld für Nachhilfestunden und Internatsaufenthalte ausgeben müssen.

Ein Kind zu ärgern und sich über es lustig zu machen ist zu keiner Zeit eine gute Idee. In diesem Alter ist es besonders wenig hilfreich. Das Kind lernt, sich des wichtigsten Kommunikationsmittels der menschlichen Spezies – der Sprache – zu bedienen, man sollte es durch nichts bremsen, sonst könnte es sich leicht in sich zurückziehen.

Phantasie und Wirklichkeit sollten deutlich getrennt bleiben; beide Bereiche sind wichtig, aber der Unterschied sollte klar sein:

„Huuuh, ich bin ein Ungeheuer!"

„Toll, wie du das Ungeheuer nachmachen kannst!"

Forderungen an das Verhalten können gestellt werden und sollten am besten eingegrenzt und positiv formuliert werden: Es ist besser zu sagen: „Räum' deine Autos auf, jetzt sofort!" als: „Sei nicht so unordentlich."

In diesen entscheidenden Jahren formt das Kind sein Verständnis von sich und der Welt. Es orientiert sich allmählich nach außen und interessiert sich auch für Leute und Dinge außerhalb der unmittelbaren Familie. Es lernt zu verhandeln und Kompromisse zu schließen. Es lernt nachzudenken und es begreift, daß seine Handlungen Konsequenzen haben. Drei- bis sechsjährige Kinder sind intelligente kleine Personen, die vernünftigen Argumenten mehr und mehr zugänglich sind.

6 bis 12 Jahre

Dies sind die „Goldenen Jahre". Die frühkindlichen Abhängigkeiten sind vorbei und die Rebellion der Teenager-Jahre hat noch nicht begonnen. Eltern und Kinder können in dieser Phase viel Spaß miteinander haben. 6- bis 12-Jährige sind fähige und tatendurstige junge Menschen, mit denen man wandern, werkeln, zelten, radfahren, Fußball spielen, angeln gehen, kurz: selbst spielen kann. Genießen Sie diese Zeit!

Kinder dieses Alters finden sich in der Welt bereits gut zurecht, weil sie die Regeln und Konsequenzen kennen. Diese Regeln können alles umfassen, von „Wenn ich ihr mein Spielzeug gebe, dann wird sie meine Freundin" bis zu „Wenn ich meine Jacke nicht anziehe, kriege ich Schnupfen und kann nicht skilaufen".

Das Kind zur Diskussion zu ermutigen und zu fördern, ohne zu dominieren, wird sein Denkvermögen schärfen und Verständnis für die Bedürfnisse anderer Menschen wecken. Eltern, die ihren eigenen Interessen nachgehen, werden auch nicht in Versuchung geraten, die Welt ihrer Kinder zu besetzen oder sich zu sehr in deren Angelegenheiten einzumischen. Das gilt besonders für alleinerziehende Eltern, die manchmal die Gesellschaft des Kindes der von Erwachsenen vorziehen.

12 bis 18 Jahre

Wenn es auch hart ist (oder sind Sie gar nicht unglücklich darüber?) – dies sind die Jahre, in denen das Kind der Familie entwächst. Jetzt beginnt es, für den Sprung ins Erwachsenenleben zu üben.

Auch wenn es sich noch nicht endgültig auf und davon gemacht hat, orientiert es sich zunehmend außerhalb der Familie. Nicht wenige Eltern beklagen sich, daß sie in dieser Altersphase nur noch den/die Taxifahrer/in spielen – was allerdings mehr über das Nahverkehrssystem und die öffentliche Sicherheit am Abend aussagt. Doch das Hinbringen und Abholen bietet auch eine gute Gelegenheit zum Reden.

Drei Dinge sollte man sich vor Augen halten

Teenager bewegen sich voran wie die Gezeiten
Sie kommen und gehen. In einem Augenblick sind sie noch unabhängig, im anderen wollen sie gefüttert und umsorgt werden. Heute sind sie ausgesprochen vernünftig, morgen rebellisch und widersprüchlich. Doch trotz des Hin und Her entwickeln sie sich fort.

Die Sexualität erblüht
Ein junger Mensch sollte zu hören bekommen, daß Sex gut ist, daß Sexualität willkommen und gesund ist und daß damit Verantwortung verbunden ist. Eltern sollten weder verführen noch

auf die Verführungsversuche der jungen Person eingehen, außer vielleicht, indem sie sagen: „Jemand wird einmal sehr glücklich sein, dich gefunden zu haben."

Der Bruch wird kommen

Einige junge Erwachsene ziehen allmählich und mühelos von dannen – die meisten aber nicht! Sie können das daran erkennen, daß letztere andauernd Konflikte produzieren und am Leben erhalten – nur so gelingt es ihnen, die Energie aufzubauen, die sie zum Losbrechen benötigen. Nehmen Sie das nicht persönlich. Wie die Geburt ist dieser Trennungsprozeß schmerzhaft, aber dennoch positiv.

162

Kinder und Fernsehen: die große Debatte

Die meisten Kinder sehen sehr viel fern, ja im Durchschnitt verbringt ein Kind heute mehr Zeit vor dem Fernseher als in der Schule. Nicht nur die langen Konsumzeiten, sondern auch der Inhalt der Sendungen bieten Anlaß zur Sorge. Kinder haben, bis sie 15 Jahre alt geworden sind, bereits Zehntausende von Gewaltszenen und Tausende von Todesfällen gesehen – sei es in Zeichentrickfilmen oder in realistischen Darstellungen. Und das im Tagesprogramm.

Gewaltszenen und die geringe Wertschätzung eines Menschenlebens im Fernsehen entziehen den Kindern den Bezug zur Realität, tragen dazu bei, daß ihre Gefühle verkümmern. Nicht weniger betrüblich ist, daß ihnen außerdem soviel anderes entgeht: Der flimmernde Kasten hypnotisiert die Kinder und raubt ihnen die Zeit, die sie normalerweise mit Rennen, Springen, Spielen, Reden, Lesen und kreativem Gestalten verbringen würden.

Versuchen Sie einmal Folgendes: Beobachten Sie Ihr Kind, während es fernsieht. Sehen Sie den leicht geöffneten Mund, den leeren Blick, den Kinder nach einer Weile annehmen? Läuft Ihnen da nicht ein Schauer über den Rücken? Ihr Kind befindet sich offensichtlich in einem „veränderten" Bewußtseinszustand – in keiner anderen Lebenssituation werden Sie Kindern begegnen, die so passiv und gefesselt sind. Ganz anders verhalten sie sich, wenn sie ein Buch lesen, denn dann leistet ihr Gehirn harte Arbeit, während sie sich vorstellen, was die Worte ihnen beschreiben wollen. Während des Autofahrens, beim Spiel im Hof, im Zirkus, überall sonst sind sie lebhaft und im Austausch mit den Dingen und mit der Verarbeitung äußerer Eindrücke beschäftigt. Vor dem Fernseher aber beginnen sie bald wieder zu starren, und der aktive Teil ihres Gehirns bleibt ausgeschaltet. Schauen Sie genau hin, und urteilen Sie selbst, ob Ihnen das gefällt.

Kleine Kinder werden besonders beeindruckt von dem, was sie sehen. Wir hatten einmal einen Vierjährigen zu Besuch, und als es Zeit zum

Schlafengehen war, kam er noch einmal ins Wohnzimmer, um Gute Nacht zu sagen. Wir sahen uns gerade eine „lustige" Sendung an (eine dieser Sendungen, bei der Sie nicht selbst lachen müssen, weil das Gelächter gleich mitgeliefert wird), in der in diesem Augenblick die Hand einer E.T.-ähnlichen Kreatur aus einem Schrank kam, Kartoffelchips und Lutscher ablehnte, sich dafür aber ein Kind griff, in den Schrank zog – und rülpste! Der kleine Junge war völlig verstört:

> „Alles in Ordnung, Ben?" fragte ich ihn.
>
> „Geh' weg!"
>
> „Worauf bist du so wütend?"
>
> „Er hat den Jungen aufgefressen!", und Ben brach in Tränen aus.

Wir schalteten aus und brauchten gute fünf Minuten, um ihn zu beruhigen. Bens Mitleid bewegte und beschämte uns. Und wir stellten uns vor, welche Alpträume er später noch haben würde!

Ältere fernsehgewohnte Kinder jedoch scheinen gräßliche Szenen ohne äußere Regung zu konsumieren. Vermutlich sind sie schon sehr unempfindlich geworden. Ob das positiv oder negativ zu werten ist, scheint keiner so recht zu wissen.

Wenn Sie besorgt sind und den Fersehkonsum Ihrer Kinder einschränken wollen, dann schlage ich Ihnen ein paar Möglichkeiten vor, wie Sie zunächst das angebotene „Kinderprogramm" bewerten und auswählen können.

Achten Sie auf die Sprache: Nicht nur das Fehlen von Schimpfwörtern ist ausschlaggebend, sondern auch die Qualität und Vielfalt der Dialoge. Hören Sie ein oder zwei Minuten lang der Sendung Ihrer Kinder zu, ohne das Bild anzuschauen. Ist das die Art von Sprache, die Ihre Kinder lernen sollen? „Aaaahhh! Uuuhhhh! Da, nimm das! Ich werd's dir zeigen ..."

Wird die Vorstellungskraft gefördert? Einige Kinder scheinen nur eine eingeschränkte Art von Spielen zu kennen: Schießen, Schreien, Schlagen. Vielleicht ist das ein Hinweis auf ihre liebsten Fernsehsendungen. Man kann das Fernsehprogramm durchaus so gestalten, daß eine größere Bandbreite von Themen vorkommt. In Australien wurde zum Beispiel eine Serie, genannt „Kaboodle", produziert, die die Qualität des Jugendprogramms aufwerten sollte. Verschiedene Arten von Live- und Animationsdarstellungen wurden gemischt, die selbst für Erwachsene interessant

165

sind und die Vorstellungskraft anregen, die Hintergründe von alltäglichen Themen abhandeln und die Denkprozesse der Kinder fördern.

Welche Werte werden vermittelt? Die Botschaften, die sich in einer Sendung verstecken, dringen in das Unterbewußtsein der Kinder ein:

Die Einteilung in gute und schlechte Menschen: Verbrecher haben meist tiefe Stimmen und sind häßlich. Sie sind durch und durch schlecht. Gute Menschen werden durchweg positiv dargestellt, sind sanft und sehen gut aus.

Konflikte entstehen immer, weil die Bösen gemein sind und die Guten zur Rache zwingen. Es ist in Ordnung, daß die bösen Buben für das, was sie getan haben, verletzt werden. Rache wird positiv vermittelt. Fruchtbare Auseinandersetzungen oder Kompromisse gibt es nicht. Warum ein Konflikt entsteht, bleibt unbegründet. Action – je gewaltreicher, desto besser – ist die Anwort auf jeden Konflikt.

Die weibliche und männliche Rollenverteilung sollte eigentlich längst der des ausgehenden 20. Jahrhunderts angepaßt sein. Doch in den meisten Programmen sind die Mädchen immer noch niedlich, hübsch,

*haben schrille Stimmen und müssen gerettet werden. Jungen und
Männer besitzen Waffen und bestimmen den Handlungsablauf, sie
fliegen das Raumschiff, fällen die Entscheidungen und retten die hilflosen Mädchen. Und weinen tun sie nie, niemals!*

Die Rolle der Werbung: Sendungen, die von Spiel- oder Süßwarenher-
stellern (das betrifft Privatsender) gesponsert sind, degenerieren zur
Werbesendung mit Showeinlagen. Wäre es da nicht besser, daß das Fernsehen auf die öffentlichen Sender beschränkt bliebe? Was auch billiger
wäre, da man nicht unter dem Zwang steht, das beworbene Spielzeug kaufen zu müssen.

Auch Nachrichten sollten kritisch betrachtet werden: Nachrichten bieten nicht nur Informationen. Sie dienen der Unterhaltung wie andere
Sendungen auch – und geben eine oftmals unrealistische, verzerrte Sicht
der wirklichen Welt wieder. Für Kinder bis zehn sind sie jedenfalls unge-
eignet.

Pädagogisch-wertvolle Sendungen: Einige Sendungen sind hervorra-
gend und didaktisch einwandfrei aufbereitet. Seit den 60er Jahren bereits
sind Bemühungen im Gange, das Potential des Fernsehens einzusetzen,
um vor allem benachteiligten Kindern eine Starthilfe zu geben. Bis zum
Schulbeginn sollen sie Grundfertigkeiten vermittelt bekommen, die
ihnen helfen, mit Kindern aus wohlhabenderen, stimulierenderen sozialen Umfeldern mitzuhalten. Die *Sesamstraße* nimmt dabei eine bereits
legendäre Führungsrolle ein und ist bis heute unerreicht, wenn es gilt, die
Logik und Hintergründe einer Sendung zu bewerten. In Deutschland, so
habe ich mir sagen lassen, erfüllt *Die Sendung mit der Maus* (ARD) diese
Ansprüche.

Im übrigen empfiehlt es sich immer, als Eltern eine Sendung mitanzu-
schauen, Kommentare zu den Darstellern abzugeben und damit die Kinder anzuregen, aktiv am Geschehen teilzunehmen. Die Programmmacher
kommen dem entgegen und würzen ihre Sendungen häufig mit subtilem

167

Humor und leichter Ironie, um das Interesse der Erwachsenen wachzuhalten. Popstars und andere Berühmtheiten treten regelmäßig allein deshalb als Gäste auf, damit die Erwachsenen verlockt werden, die Sendung zusammen mit ihren Kindern anzuschauen.

Fazit: Es gibt immerhin einige wertvolle Kindersendungen im Fernsehprogramm, die die Kinder direkt ansprechen und aktiv mit einbeziehen.

Viele Eltern schränken heute den Fernsehkonsum ein, gestatten ihren Kindern, eine halbe oder ganze Stunde am Tag fernzusehen, und handeln die Programme mit den Kindern aus. Das ermutigt diese, zu planen, wählerisch zu sein und ihre Sendungen zu „genießen", anstatt einen uniformen Brei anzuschauen. Stellen Sie Ihren Fernseher in ein anderes Zimmer als das Wohnzimmer, damit er das Familienleben nicht vollends beherrscht.

Und es ist vermutlich eine gute Idee, sich nicht allzusehr mit dem Fernsehen zu befassen, damit es gar nicht erst zum allumfassenden Thema innerhalb der Familie wird. Andererseits möchten Sie aber sicher angesichts der Tatsache, daß das Fernsehen neben Ihnen der andere große Einflußfaktor auf die geistige Welt Ihrer Kinder ist, ein Wörtchen mitreden bei dem, was sie sich zu Gemüte führen.

Schluß mit dem Gejammer!

Ist Ihnen schon einmal aufgefallen, daß einige Erwachsene besonders angenehme Stimmen haben? Daß auch einige Kinder eine melodiöse, klare Ausdrucksweise besitzen und es ein besonderes Vergnügen ist, ihnen zuzuhören? Und haben Sie auch bemerkt, wie unangenehm es ist, wenn ein Kind permanent jammert und quengelt, durch die Nase redet? Uuuuuuuuhhhhhhh, äääääähhhh?

Wußten Sie, daß der Tonfall, in dem wir sprechen – ob Erwachsene oder Kinder – einfach eine Angewohnheit ist? Nicht nur eine Sprechgewohnheit, sondern eine Lebenseinstellung? Das Jammern entspringt dem hilflosen Teil in uns, der will, daß andere alles für uns erledigen, der immer unzufrieden ist, an allem herumnörgelt und sich permanent beschwert. Wann immer wir anfangen zu jammern, fühlen wir uns auch entsprechend. Jammernde Kinder, die nicht unterbrochen werden, werden später zu nörgelnden Erwachsenen (hinter jedem meckrigen Ehemann und jeder stöhnenden Ehefrau stehen Eltern, die das Jammern zugelassen haben). Doch das Jammern und Quengeln kann man über Nacht abschaffen! Und das geht so:

Zuerst müssen Sie sich bewußt machen, wann Ihr Kind zu jammern beginnt. Meist möchte es etwas haben und sagt das anfangs in normalem Tonfall. Dann wird es lauter, und wenn wir den Wunsch ablehnen, beginnt es schließlich, sich in ein lautstarkes Gejammere hineinzusteigern.

Zu Anfang entdeckt das Kind wohl eher zufällig, daß ein jammernder Tonfall von den Erwachsenen nicht ignoriert werden kann! Um des Friedens (und der Stille!) willen gibt man nach.

Wenn sich dieses Muster oft genug wiederholt, lernt das Kind, im richtigen Moment zu jammern – und bevor Sie sich's versehen, quengelt es beim geringsten Anlaß.

Was gegen das Gejammer zu tun ist

Sagen Sie es Ihrem Kind. Nehmen Sie sofort Augenkontakt auf, wenn das Kind das nächste Mal herumjammert, und verlangen Sie ohne Umschweife, daß es in einem normalen Tonfall spricht.

Machen Sie dem Kind vor, wie es sprechen soll. Finden Sie heraus, ob Ihr Kind überhaupt weiß, wie man in einer tieferen Tonlage spricht, wie man eine festere Stimme einsetzt. Probieren Sie es aus. Geben Sie ein paar Kostproben, damit das Kind hört, was Sie meinen.

Wiederholen Sie sich immer wieder. Immer wenn Ihr Kind wegen irgend etwas zu jammern beginnt, fahren Sie mit einem „Sprich in normalem Tonfall" dazwischen. Die Wortwahl ist wichtig: Machen Sie ihm klar, daß Jammern nicht normal ist – weder für Sie noch für jemand anders. Stellen Sie sicher, daß Ihr Kind das Verlangte nur dann bekommt, wenn es in „normaler", positiver Tonlage spricht.

Das heißt natürlich nicht, daß es allein deshalb, weil es wie der Papst bei der Osteransprache klingt, auch alles bekommt, was es möchte – es muß trotzdem lernen, daß „Nein" auch eine Antwort ist.

Sie sollten immer realistisch bleiben. Kinder müssen erst lernen, wie die Welt funktioniert – und sie müssen lernen, daß die Menschen es lieber mögen und positiver reagieren, wenn man sich in einem angenehmen Tonfall und mit kräftiger Stimme ausdrückt, statt hilflos und negativ ...

Energie tanken

Kinder brauchen gesunde und glückliche Eltern

Ich habe einmal einen Monat in einem Küstendorf auf Papua Neuguinea verbracht. Die Kinder dort lebten nicht mit den eigenen Eltern, sondern zogen in kleinen Gruppen umher, wohnten eine Weile in einem Haus und dann in einem anderen. Man konnte Siebenjährige dabei beobachten, wie sie sich um Babys oder um die Feuerstellen kümmerten. Mit vierzehn verrichteten sie stolz und selbstbewußt die Arbeit von Erwachsenen.

Und da ich neu im Dorf war und jeder sich für mich interessierte, quartierten sich so etwa ein Dutzend Kinder in meinem „Haus" (das eine Hütte war) ein. Wenn mich nachts meine tropische Darmerkrankung aus dem Bett trieb, mußte ich mir erst den Weg über einen Teppich aus kleinen, braunen Körpern ertasten! Sobald ich aber langweilig geworden war, zogen sie weiter ins nächste Haus.

In diesem Dorf Vater oder Mutter zu sein war eine relativ einfache Sache: Die Mühe und das Vergnügen der Elternschaft wurden vom ganzen Dorf geteilt, ja es war so, daß jeder der im Dorf gerade

171

anwesenden Erwachsenen den Elternpart übernahm. In unserer Gesellschaft wird das Elternsein nicht geteilt, und kleine Kinder können nicht ungefährdet durch die Gemeinde ziehen.

Da liegt es nahe, daß man das Gefühl hat, man müsse zu „Supereltern" werden, die irgendwie jedes Verlangen der Kinder nach Unterhaltung, Bildung, Liebe, Zärtlichkeit, Essen, Trinken, Sicherheit, Kleidung und Sauberkeit erfüllen. Sind Sie der Elternteil, der zu Hause bei den Kindern bleibt, dann fühlen Sie sich in der Regel ans Haus gebunden, quasi in den Käfig gesperrt, und sehnen sich nach der Gesellschaft von Erwachsenen. Verlassen Sie täglich das Haus, um das Geld zu verdienen, so fühlen Sie sich als Arbeitspferd, das zu wenig von Familie und Heim hat. Da nimmt es wenig wunder, daß viele Eltern, vor allem diejenigen, die zwei oder mehr Kinder unter fünf Jahren haben, fast ununterbrochen erschöpft, reizbar und bei schwacher Gesundheit sind.

Wenn wir uns wohlfühlen, angenehme Gesellschaft haben, gesund und erholt sind, dann können wir unseren Kindern viel geben und uns an ihnen erfreuen.

Wenn wir müde, krank, einsam, überlastet sind, dann erreichen wir einen Punkt, an dem die Kinder zur Last fallen, ja zum Gegner im Kampf ums Überleben werden. Das kann für Sie, Ihre Ehe und die Unversehrtheit Ihrer Kinder gefährlich werden.

Überlastete Eltern

Überlastete Eltern erreichen irgendwann einen Punkt, an dem sie nicht mehr liebevolle und fürsorgende Eltern sein können. Deshalb ist es absolut notwendig, daß Sie sich auch um sich selbst kümmern. Gute Eltern können Sie nur dann sein, wenn Sie selbst glücklich und gesund sind. In diesem Kapitel erfahren Sie, wie man das macht.

Immer wieder erzählen mir Eltern, daß sie nicht verstehen, warum ihnen die Familie zuviel wird. Sie erwarten übermenschliche Leistungen von sich, ohne sich bewußt zu sein, daß Menschen „Brennstoff" brauchen. Menschen funktionieren nicht nur mit Nahrung: Sie brauchen auch Energiezufuhr in Form von Liebe, Anerkennung, Berührung und Gesprächen usw.

Jede Person, mit der Sie sprechen, gibt Ihnen Energie oder nimmt sie von Ihnen. Deshalb bezeichnen wir einige Menschen als „anstrengend". Das ist auch der Grund, weshalb wir oftmals den Anruf von bestimmten Personen fürchten, dann aber ohne zu zögern hundert Kilometer weit fahren, um ein oder zwei Stunden mit einem besonders guten Freund zu verbringen.

Kinder können uns auch Energie geben, im Regelfall ist es aber gut und richtig, daß wir ihnen Kraft geben. Wenn wir jedoch die einzige Energiequelle für sie sind und diese versiegt, dann muß etwas passieren. Denken Sie einen Augenblick nach, wo steht Ihre Tankanzeige jetzt gerade, während Sie dieses Buch lesen?

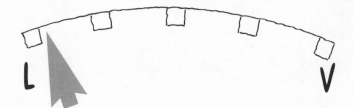

Steht der Zeiger normalerweise hier? Fahren Sie immer „auf Reserve"? Nicht selten behandeln wir unseren Körper wie ein altes Auto: für zehn Mark (zehn Franken, hundert Schilling) tanken, abgefahrene Reifen und schon ewig keine Inspektion mehr.

Es lohnt sich, sich einmal im Bekanntenkreis umzusehen und zu überlegen, wer Ihr Wiederauftanken verhindert und wer es fördert. Manchmal muß man feststellen, daß die „Freunde" einfach nur Energie „stehlen" und nichts zurückgeben. Dann ist es an der Zeit, neue Freunde zu suchen! Menschen, die einmal wichtig für uns waren (einschließlich der Eltern), können zu einer Quelle negativer Gefühle werden. Und Sie können, wenn Sie wollen, die Art und Weise, wie Sie mit Menschen kommunizieren, verändern – Sie können einen positiveren Austausch erzielen!

„Hallo mein Liebling, ich hatte vielleicht eine schrecklich Woche!"

„Meine ist glänzend verlaufen. Soll ich dir erzählen, was passiert ist?"

„Mein Gott, im Büro gab es heute eine Katastrophe nach der anderen."

„Ich könnte dir jetzt zuhören, wenn du das willst. Wie wär's aber damit, wenn wir stattdessen lieber unseren nächsten Urlaub planen?"

So könnte eine unverfängliche Strategie aussehen, und wenn sie mit guter Laune verfolgt wird, können beide Parteien davon profitieren.

16 Ratschläge, wie Eltern auftanken können

Eine Gruppe von etwa zwanzig jungen Elternpaaren ließ ich einmal auflisten, wie sie Energie tanken könnten. Einige gute Vorschläge kamen zusammen:

1. **Leisten Sie sich einen Babysitter.**

2. **Lernen Sie, für Ihre Kinder so langweilig zu sein, daß sie Sie eine Weile in Ruhe lassen.**

3. Verbringen Sie 10 Minuten mit Ihrem/Ihrer Partner/in, wenn er/sie nach Hause kommt: Tauschen Sie gute Nachrichten aus oder seien Sie einfach zusammen. Wenn die Kinder sich ruhig verhalten, können sie dabeibleiben; wenn nicht, werden sie in ein anderes Zimmer geschickt.

4. Verbringen Sie jeden Tag eine halbe Stunde voll konzentriert mit Ihren Kindern, anstatt widerwillig stundenlang mit halber Aufmerksamkeit bei der Sache zu sein. Lassen Sie die Kinder planen und sich im voraus darauf freuen, was sie in ihrer halben Stunde mit Ihnen machen wollen.

5. Lernen Sie, einfach abzuschalten, damit Sie entspannen und sich während der Hausarbeit, auf der Fahrt zur Arbeit und bei anderen Gelegenheiten etwas Schönes ausdenken können.

6. Kochen Sie einmal etwas, was Ihnen schmeckt, anstatt immer nur „Kinderteller" zu essen.

7. Spielen Sie Ihre Musik.

8. Verbringen Sie viel Zeit mit anderen Eltern.

9. Machen Sie deutlich, was Sie von Ihrem Partner möchten: Zärtlichkeit, Sex oder nur Gesellschaft. Versuchen Sie, die Bedürfnisse Ihres Partner zu verstehen und diesen entgegenzukommen. Falls Sie normalerweise reden, wenn Sie angespannt sind, versuchen Sie es mit Massage. Falls Sie sich üblicherweise nur berühren, reden Sie.

10. Tun Sie regelmäßig etwas, was nichts mit Elternsein zu tun hat, was Erwachsenen Spaß macht.

11. Nehmen Sie alle Arten von Unterstützung und Hilfsangeboten in Ihrem Umfeld in Anspruch: Begegnungsstätten, Tageskrippen, Fitneßklubs, Sportvereine, Spielgruppen, Krabbelstuben, Kurse für Eltern.

12. Nutzen Sie die Zeit, in der Sie Babysitter oder Krippen in Anspruch nehmen, für sich selbst und nicht nur dazu, schnell einzukaufen oder mehr zu arbeiten.

13. Sagen Sie sich einfach, daß „Unordnung schön ist" und geben Sie das Ziel eines „blitzeblanken Hauses" für ein paar Jahre auf (Sie können ja den Staubsauger immer neben der Tür stehen haben und zu den Besuchern sagen: „Und gerade wollte ich mit dem Saubermachen loslegen ...").

14. Richten Sie für die Kinder einen Bereich ein, in dem keine wertvollen Sachen herumstehen und Oberflächen sowie Möbel einfach zu säubern sind. Das spart täglich die Energie für tausendmal „Nein" sagen.

15. Richten Sie sich einen aufgeräumten, schönen Bereich her (und sei es nur das Schlafzimmer), den die Kinder nicht betreten dürfen und wo Sie sich so richtig wohlfühlen können.

16. Reden Sie, lösen Sie Probleme und planen Sie – im Wohnzimmer. Setzen Sie sich hin, von Angesicht zu Angesicht, ohne die Kinder. Machen Sie nicht das Bett zum Diskussionsforum. Das Bett ist für andere, bessere Zwecke da.

Manche Neugeborenen und ihre Mütter haben beim ersten „Treffen" Schwierigkeiten, miteinander in Verbindung zu treten. Das Windelnwechseln und Füttern will nicht klappen, und sowohl die Mutter als auch das Baby sind verkrampft und unglücklich. Ein mir bekanntes Krankenhaus entwickelte ein Programm, mit dessen Hilfe die Verbindung wieder hergestellt werden sollte – eine wegen seiner Einfachkeit und seiner Symbolkraft für den Prozess des Elternseins wunderbare Maßnahme.

Ärzte, Schwestern und Pfleger hatten erkannt, daß die Mutter und das Baby in einen Teufelskreis geraten waren. Um diesen zu durchbrechen, ließen sie die Mutter sich bequem hinsetzen und postierten den Vater auf einen Stuhl dahinter. Der Vater massierte dann sanft Schultern und Rücken der Mutter, während diese das Baby hielt, streichelte, vielleicht sogar fütterte. War die Mutter alleinerziehend, übernahm einer der Pfleger die Rolle des Vaters; und wenn sich der Vater verspannt oder verlegen fühlte, dann stellte sich noch ein Physiotherapeut hinter ihn und massierte seine Schultern.

Körperliche Berührung beruhigt und kräftigt, sie versetzt Menschen in die Lage, sich aufzuschließen und aus Verspannungen auszubrechen. Das wird so oft vergessen … – und ist tausendmal besser als Beruhigungspillen!

Über das Dasein als Eltern sind eine Menge übler Gerüchte im Umlauf, Dinge wie: Mit kleinen Kindern hat man keine Zeit für sich selbst; man muß warten, bis sie älter sind, bevor man ausspannen kann; der Partner/die Partnerin muß sich gedulden, die Kinder haben Vorrang. Nichts davon ist wahr – Elternsein soll Spaß machen!

Eltern, die wirklich leiden, legen einfach zu hohe Maßstäbe an und ordnen ihre eigenen Bedürfnisse meistens unter „ferner liefen" ein:

> „Ich versteh' das wirklich nicht, Herr Doktor. Gerade als ich damit fertig war, die Kammer zu tapezieren und für Daniel die dreistöckige Geburtstagstorte zu backen, setzten diese rasenden Kopfschmerzen ein.
> Können Sie mir etwas dagegen verschreiben, ich muß nämlich schnell wieder nach Hause, um Marlenes Diskokleid zu Ende zu nähen."

Tatsächlich haben Sie nur drei einfache Pflichten als Eltern, und zwar in der nachfolgenden Reihenfolge:

1. **für sich selbst zu sorgen**

2. **für Ihre Partnerschaft zu sorgen**

3. **für Ihre Kinder zu sorgen**

Noch immer ist die Meinung weit verbreitet, daß man als Eltern große Opfer bringen und zum Fußabstreifer werden muß. Kein Wunder, daß sich immer weniger Leute dazu entschließen, Kinder zu bekommen.

Dieselben Eltern, die ihre Aufgabe darin sahen, sich zu opfern, hört man im mittleren und hohen Alter sagen „Nach allem, was ich für dich getan habe" und „Wir haben dir die besten Jahre unseres Lebens gegeben". Sie versuchen, mit Schuldgefühlen eine Rechnung einzutreiben, die sie selbst aufgemacht haben.

Das Sorgen für sich selbst, für die Partnerschaft und für die Kinder sollte Hand in Hand gehen.

Wenn Sie sich um sich selbst kümmern, sind Sie glücklicher und bereit, mehr zu geben – Sie geben aus freien Stücken und weil Sie die Kraft dazu haben.

Kümmern Sie sich um Ihre Partnerschaft, so erleben Sie, daß Sie in den Augen Ihres Partners ein geschätzter, attraktiver Erwachsener sind – nicht nur eine Kindermädchen oder ein Brötchengeber. Sie entwickeln ein Gefühl des Sich-Verlassen-Könnens, das Ihnen erlaubt zu entspannen. Sie erhalten dadurch auch den Freiraum zum Weiterwachsen, zum Wandel, der notwendig ist, um auf Dauer an Ihrem Partner interessiert zu sein und auch für ihn interessant zu bleiben.

Wenn Sie sich bewußt sind, daß Sie sich die Elternschaft selbst als eines Ihrer Ziele gewählt haben, wenn Sie sich um sich selbst kümmern, Partnerschaft und Freundschaften pflegen, die Sie unterstützen und Sie an Ihren eigenen Wert erinnern, dann werden Sie Ihren Kindern auch einfacher geben können, dann werden Sie allzeit genügend Energie für Ihre Kinder haben. Ende der Predigt.

Energie sparen mit dem „leisen Neinsagen"

Albert ist zweieinhalb und ziemlich anstrengend. Er ist sehr selbstbewußt und stellt hartnäckig und so lange Forderungen, bis etwas passiert: Sei es, daß er ein Eis am Nachmittag fordert, sei es, daß er stört, während Mami telefoniert, sei es, daß er den glänzenden Laster an der Supermarktkasse haben möchte.

Seine Mutter Bita hat Gott sei Dank endlich herausgefunden, wie sie mit diesem Verhalten umgehen kann. Erstens weiß sie, daß sich Albert in einer ganz normalen Entwicklungsphase befindet, die nicht ewig anhalten wird. Zweitens hat sie gerade die Kunst des „leisen Neinsagens" gelernt und ist unschlagbar geworden!

Sie beobachtet andere junge Mütter im Clinch mit ihren Zweijährigen, sieht, wie sich die Spannungen aufbauen:

WILL HABEN! NEIN!
WILL HABEN! NEIN!

Die Mütter werden wütend, verkrampfen sich, geraten aus der Fassung und glauben, sie müßten das hochrotgesichtige Geschrei ihrer Zöglinge übertrumpfen, um zu obsiegen.

WILL HABEN!

WILL HABEN!
WILL HABEN!
NEIN!! DU KRIEGST
ES NICHT!!

Bita jedoch sagt einfach „Nein", sogar ziemlich leise (sie weiß, daß Kinder ein ausgezeichnetes Gehör haben). Wenn Albert nicht aufgibt, sagt sie noch einmal und genauso leise „Nein", gleichzeitig entspannt sie ihre Schultern und lockert ihren ganzen Körper (ein Trick, für den sie ein paar Stunden gebraucht hat, um ihn zu erlernen).

Wenn Albert anfängt zu schreien, vor allem im Supermarkt, in der Bank oder an ähnlichen Orten, stellt sie sich vor, wie sie ihn am Kragen packen und zum Auto schleifen wird. Gleichzeitig entspannt sie sich noch mehr und lächelt innerlich. Sie beherrscht ihre Gefühle, anstatt sie von Albert kontrollieren zu lassen. Die Versuchung, ihn anzuschreien, kommt gelegentlich zurück, aber die Vorstellung, wie er seinen Sieg genießen würde, läßt sie schnell verblassen.

Bita ist ziemlich erstaunt, daß genau in dem Augenblick, in dem sie das „leise Neinsagen" wirklich beherrscht, Albert mit dem Herumgezanke aufgehört hat.

Ernährung und Verhaltensreaktionen

Würden Sie die Ernährung Ihrer Kinder umstellen, wenn Sie wüßten, daß Sie dadurch ihr Verhalten in der Schule beeinflussen können, sie ruhiger und glücklicher wären und damit umgänglicher? Natürlich würden Sie das. Wußten Sie, daß schlechte Ernährung von nicht wenigen als eine Hauptursache für jugendliche Kriminalität angesehen wird? Und wußten Sie, daß dieselbe Ernährungsumstellung Ihnen selbst gut tut, Ihnen mehr Energie liefert, Ihr Übergewicht reduziert, ohne daß Sie weniger essen müssen?

Manchmal ist es notwendig, zu den grundsätzlichen Dingen zurückzukehren – und es gibt nichts Grundsätzlicheres als das Essen. Es wird zunehmend erkannt, daß das, was Eltern ihren Kindern zu essen geben, tiefgreifende Auswirkungen auf deren Verhalten haben kann.

Ernähren Sie Ihre Kinder so, daß sie dauerhaft mit Energie versorgt sind.

Nahrungsmittel liefern Nährstoffe für das Wachstum und die Abwehrkräfte unseres Körpers; und sie liefern die Energie für physische und geistige Aktivität. Immer mehr Kinder werden heute vollwertig ernährt. Wesentlich ist dabei, daß sie eine Kombination aus Kohlenhydraten und Proteinen bekommen, die eine dauerhafte, den ganzen Tag anhaltende Energieversorgung ihres Körpers gewährleisten.

Eine vollwertige Ernährung vermeidet Ermüdung, fördert die Konzentrationsfähigkeit und sorgt für Ausgeglichenheit. Vor allen Dingen brauchen Kinder Vollkornprodukte, proteinreiche Kost wie Milchprodukte sowie frisches Obst jeden Morgen zum Frühstück.

Essen, bevor der Energieverbrauch einsetzt.

Mit dem Frühstück sollte der Energievorrat des gesamten Tages angelegt werden. Herzhafte Mahlzeiten am Abend sind zwar nahrhaft, aber hinsichtlich der Energiezufuhr überflüssig. Gut zu essen, bevor wir körperlich und geistig aktiv werden, vermeidet auch Gewichtszunahmen. Wird indes vor dem Schlafengehen gegessen, wird die Nahrung in Fettreserven angelegt

Vermeiden Sie schnell verbrennende Nahrung.
Zucker und mit raffiniertem Zucker zubereitete Nahrung hat einen bemerkenswert unangenehmen Einfluß auf das Verhalten von Kindern. Viele von ihnen besitzen einfach zuviel Energie nach dem Verzehr solcher Produkte.

Sie reagieren gereizt, hyperaktiv oder oftmals bösartig. Bluttests haben bewiesen, daß Zuckerprodukte sehr schnell Energiespitzen freisetzen und dann der Blutzucker unter das notwendige Niveau fällt, während der Körper noch mit den Folgen der Energiespitze kämpft.

So erfahren Kinder ein Absacken der Leistungskurve in der Mitte des Vormittags, können sich nicht mehr konzentrieren, werden müde und lassen sich leicht ablenken.

Vermeiden Sie chemische Zusätze, Farb- und Konservierungsstoffe.
Farbstoffe und Zusätze im Essen haben komplexe und sehr individuelle Folgen. Immer mehr Kinder reagieren allergisch – in vielen Kindergärten hängen Ernährungspläne, die die Kindergärtner/-innen daran erinnern, welches Kind welche Nahrung nicht zu sich nehmen darf.

Es erscheint seltsam, daß der kindliche Körper auf natürliche Nahrung so reagiert, während dies vor ein paar Jahrzehnten noch nicht zu beobachten war. Sind die Zusätze und toxischen Rückstände in den Lebensmitteln dafür verantwortlich, daß viele Kinder hypersensibel geworden sind? Menschen sind vom Ursprung her Sammler und Jäger, die sich von einfachen, in der Natur vorkommenden Nahrungsmitteln ernähren: Gemüse, Obst, Körner, Fleisch, Fisch, Nüsse usw. Was heute in den Regalen der Supermärkte an konservierten, denaturierten Produkten zu finden ist, dürfte im Zoo nicht einmal an die Affen (unsere nächsten Verwandten) verfüttert werden – sie würden daran eingehen!

Unabhängig davon, wie Ihr Kind auf bestimmte Nahrungsmittel reagiert – worauf Sie ein Auge haben sollten –, sind einige Lebensmittel grundsätzlich problematisch. Der Farbstoff Tartrazin (der für das Gelb in vielen Lebensmitteln sorgt) kann starke Hyperaktivitätsanfälle auslösen. Das Gleiche gilt für Phosphate, die in Nahrungsmitteln wie Würstchen, Hamburgern, Käsescheibletten, Instantsuppen und -soßen zu finden sind.

Das Einfachste und Wirksamste, was man tun kann, ist, den Kindern morgens so viel vollwertige Kohlehydrate und Proteine anzubieten, daß sie einfach keinen Hunger mehr auf sogenanntes „Fastfood" haben. Seien Sie aber nicht zu pedantisch mit dem gesunden Essen. Zwar haben Kinder auch einen besonderen Geschmack, doch oft ist das Essen für sie mehr eine Frage der Stimmung. Gewöhnen Sie Ihre Kinder allmählich und behutsam um.

Im September 1988 berichtete der *New Internationalist* von einer breitangelegten Studie über 3000 jugendliche Straffällige, deren Rückfallquote sich im Untersuchungszeitraum von zwölf Monaten um 70-80% reduzierte, sobald ihnen hochwertige Nahrung verabreicht wurde.

Wir bräuchten vermutlich weit weniger Psychologen, Psychiater, ja selbst Polizisten, wenn die Kinder vernünftige Vollwertnahrung zu essen bekämen.

Besondere Situationen

Wie können Pädagogen, Politiker, Verwandte, Freunde und Bekannte helfen?

Wie können Sie als Pädagoge/in, Verwandte/r, Freund/in, Bekannte/r oder Politiker/in Kindern und Eltern helfen?

Wenn Sie im Kindergarten oder in der Volksschule unterrichten

Wenn das Kind in den Kindergarten (ab drei Jahre) kommt oder eingeschult wird, können Sie negative Programmierungen deutlich erkennen. Hier die wichtigsten Anzeichen:

- Das Kind hält sich abseits anderer Kinder, sieht traurig oder überdreht aus, reagiert nicht auf die Freundschaftsangebote anderer Kinder.

- Das Kind beteiligt sich zwar, versucht sich jedoch nicht an einer angebotenen Lernaufgabe oder -aktivität und macht einen ängstlichen oder abgelenkten Eindruck, wenn es einzeln angesprochen wird.

- Das Kind schlägt auf andere Kinder ein oder reagiert unangemessen, wenn es angesprochen wird (lacht , wenn es ermahnt wird) und scheint mit anderen Kindern keinen positiven Austausch zu haben.

Vielleicht gibt es auch in Ihrer Gruppe oder Klasse Kinder, die in eine dieser Kategorien fallen, oder Kinder, die Anzeichen aller drei Kategorien zeigen.

Das traurige und einsame Kind

Vermutlich bekam das traurige und einsame Kind im frühen Kindesalter (0 bis 2) zu wenig Zuneigung, zu wenig Wertschätzung und Bestätigung. Es braucht positive Botschaften, die nicht an erbrachte Leistungen gebunden sind, Botschaften, die es nur wegen seines „Seins" erreichen, etwa: „Hallo Erich, freut mich, dich zu sehen." Eine freundliche Berührung oder Umarmung kann auch zum Gefühl der Sicherheit beitragen – wobei man darauf achten sollte, daß die Sonderbehandlung den anderen Kindern der Gruppe nicht auffällt.

Wendet man das über Tage, eventuell Wochen, an, wird sich das Kind deutlich entspannen und in der Klasse auftauen. In der Regel wird es nun auch selbst Kontakt mit Ihnen aufnehmen, Ihnen seine Arbeiten zeigen, Sie anlächeln, während Sie den Blick über die Klasse schweifen lassen, und so weiter.

Das selbstkritische Kind

Dieses Kind hat zwar im frühen Kindesalter seine Bedürfnisse befriedigt bekommen, war aber vermutlich ununterbrochen verbalen Herabsetzungen ausgesetzt, seit es alt genug war, zu hören (d.h. seit frühestem Kindesalter). Dieses Muster ist oft erkennbar, wenn eine liebevolle Mutter ein zweites Kind bekommt und von da an versucht – oft mehr nebenbei –, das erste mit vorwiegend negativer Ansprache zu steuern.

Viele Eltern setzen ihre Kinder ganz automatisch herab, nicht selten jedes Mal, wenn sie mit ihnen sprechen – vor allen Dingen dann, wenn sie selbst unter Druck stehen. Die Kinder in dieser Lage (vermutlich eines von zehn Kindern), anworten auf die Frage, warum sie keine neue Aufgabe probieren wollen, deshalb nicht selten: „Ich bin dumm", „Ich kann nicht", „Ich bin blöd".

Geben Sie diesen Kindern konstant positive Bestätigungen. Der Idealfall wäre, Sie könnten beides tun, loben und positive Botschaften nur für das „Sein" aussenden: „Das hast du aber gut gemacht", „Wie du dein Bild anlegst, gefällt mir gut", „Freut mich, dich heute morgen zu sehen", oder auch nur „Hallo". Tragen Sie aber nicht zu dick auf – formulieren Sie Ihre Kommentare sachlich, untertreiben Sie eher etwas, damit sie dem Kind nicht peinlich werden.

Sie müssen auch darauf achten, keine demütigenden Äußerungen im Umgang mit diesen Kindern zu verwenden (die diese manchmal geradezu herausfordern). Zur Kontrolle des Kindes sind sachliche Feststellungen und Forderungen eher angebracht als „Du"-Äußerungen: „Hol' schnell deine Tasche, Anna!" statt „Anna, du wirst nochmal deinen Kopf vergessen!"

Um langfristig eine Wirkung zu erzielen, brauchen auch die Eltern Unterstützung. Wenn diese Eltern in die Schule kommen, werden Sie vermutlich feststellen, daß sie einen müden, überarbeiteten Eindruck machen, womöglich aufgebracht und defensiv eingestellt sind. Es ist ratsam, eine lockere, freundliche Unterhaltung zu beginnen, bevor man zum Kern der Sache kommt. Das ist besser, als mit der Tür ins Haus zu fallen: „Ihr Kind hat ein Problem!"

Erklären Sie einfach, Sie hätten bemerkt, daß es um das Selbstwertgefühl des Kindes nicht zum besten bestellt sei. Fragen Sie, ob die Eltern das Kind oft kritisieren oder ausschimpfen. Machen Sie klar, daß auch Sie selbst, wenn Sie müde sind, so reagieren, aber daß Sie herausgefunden hätten, daß Kinder sich das in überraschend hohem Maße zu Herzen nähmen.

Eltern dieser Kategorie profitieren am meisten, wenn sie mein Buch lesen. Sie könnten ihnen ein Exemplar leihen!

Das aggressive und sarkastische Kind

Das aggressive, zuweilen sarkastische Kind kann man am besten charakterisieren als eines, das ganz auf ein „negatives" Sozialverhalten eingestimmt ist, das sowohl aggressiv behandelt wird als auch in seinem Umfeld nur negatives Beziehungsverhalten erlebt. Es ist nicht unwahrscheinlich, daß die Eltern dieses Kindes regelmäßig miteinander streiten, ja manchmal sogar handgreiflich werden.

Bemerkenswerterweise wählt sich dieses Kind die Aggression nicht etwa als Mittel der Interaktion aus. Aggression ist vielmehr häufig das einzige Mittel der Kommunikation, das es kennt.

Sehr wichtig zu wissen ist auch, daß dieses Kind anfangs nicht besonders auf Wärme und Lob reagieren wird (ein Versuch lohnt sich aber immer).

Der Lehrer muß zunächst eine Verbindung herstellen, und zwar auf eine Art und Weise, die das Kind versteht: nämlich durch **zupackende Kontrolle** und **bestimmende Interaktion.**

Das ist natürlich in jedem Fall möglich, ohne das Kind zu demütigen.

Deshalb ist es in den ersten Wochen notwendig, daß Sie zum Beispiel eine feste Hand auf die Schulter des Kindes legen (ohne zu kneifen oder seine Bewegung kontrollieren zu wollen) und deutliche Anforderungen an das Verhalten stellen („Hör' jetzt auf damit und komm' her, um dir ein Buch zu holen", „Setz' dich sofort hin und fang an zu malen") .

Man muß insistieren, um mit einem aggressiven Kind eine tiefergehende Beziehung aufnehmen zu können. Man muß fest bleiben, ohne ärgerlich und gereizt zu werden. Blickkontakt und ein klein wenig Schalk in den Augen, während Sie konsequent bleiben, sind für das Kind ein Signal dafür, daß Sie stark genug sind, es zu bändigen – und dafür, daß es entspannen kann.

Sobald eine Beziehung aufgebaut ist, kann das aufgeschlossene Verhalten des Kindes zusätzlich mit positiven Reaktionen belohnt werden. Dies unterscheidet sich vom Verhalten der Eltern, die ihrem Kind womöglich nur dann Aufmerksamkeit geschenkt haben, wenn es sich aufspielte.

Diese Kinder reagieren oft positiv, wenn ihnen besondere Aufgaben übertragen werden (zum Beispiel „Spielzeugwart") – Rollen, die echte Verantwortung und Privilegien mit sich bringen. Wenn sie „Freundschaft" mit Ihnen schließen, d.h. die Kunst lernen, positive Botschaften auszutauschen, dann lernen sie bald auch, andere Kinder mit einzubeziehen.

Wenn Sie an einer weiterführenden Schule unterrichten

Negativ programmierte Kinder sind in den weiterführenden Schulen nicht zu übersehen. Ja, es ist so, daß in diesen Schulen die negative Programmierung noch verstärkt wird.

Wenn Sie diesen Kindern helfen wollen, oder wenn Sie nur – wegen des eigenen Friedens – gerne wissen wollen, wie Sie pro-

Als Junge besuchte ich eine Highschool (was in etwa einer deutschen Realschule oder einem Gymnasium entspricht) in Melbourne. Der Direktor war ein netter, etwas desorganisierter Mann, der Stellvertreter hingegen ein roher Bursche (später ist mir aufgefallen, daß diese Kombination nicht selten vorkommt).

Eines Tages bekam ich mit, wie ein Junge aus dem Büro des Stellvertreters geworfen wurde und mit dem Rücken an die gegenüberliegende Wand prallte. Heute würde ich (nachdem ich einige Erfahrung auf dem Gebiet gesammelt habe) nicht zögern, Personen wie den Stellvertreter hinter Schloß und Riegel zu bringen.

Betonen möchte ich aber, daß ich gleichermaßen das klammheimliche Einverständnis des Lehrkörpers und das Verhalten einer Schulbehörde, die solche Leute nicht nur einstellt, sondern häufig auch noch befördert, anprangere. Ich kann nur hoffen, daß sich die Dinge seitdem verbessert haben.

Noch eine andere Erfahrung hat meine Meinung über weiterführende Schulen geprägt: Einer meiner engen Freunde, der immer unter den besten in unserer Klasse war, kaufte sich mit dem Abitur und einem Stipendium für die Uni in der Tasche ein Gewehr und brachte sich um – weil er meinte, seine Noten seien nicht gut genug.

Vier Kinder begingen Selbstmord, während ich dort zur Schule ging, und der hervorragendste Schwimmer sitzt zur Zeit im Gefängnis, nachdem er vergeblich versucht hat, von

Drogen loszukommen. Wenn ich befragt werde, woher ich die Energie beziehe, mich für eine menschlichere Erziehung einzusetzen, dann sind dies ein paar von Dutzenden von Geschichten, die ich zur Erklärung anführen könnte.

blematische Kinder in den Griff bekommen können, dann lesen Sie weiter!

Vielleicht haben Sie schon von dem Gesellschafts- und Kulturkritiker Ivan Illich gehört, der an fast allen Erziehungsinstitutionen der europäisch-amerikanischen Welt kein gutes Haar gelassen hat? Glücklicherweise fällt seine Kritik konstruktiv und kreativ aus, und zuweilen schlägt er vor, wie man einen Konflikt lösen kann! Illich beanstandet, daß die meisten Schulen die Kinder lediglich für die Arbeit in Fabriken vorbereiten (und wenn sie ganz brav sind, für die Bürohochhäuser). Deshalb, sagt er, gleichen unsere Schulen selbst auch Fabriken – in denen die jungen Leute lernen, niemand zu sein, nur das zu tun, was ihnen gesagt wird, und Dinge herzustellen. So schlimm ist es ja nun auch nicht ... oder doch?

Man kann jedoch nicht abstreiten, daß die weiterführenden Schulen schon in ihrer Anlage unmenschlich erscheinen: Riesige Schülerzahlen (mehr als 1000 Schüler an einer Schule sind keine Seltenheit, die Forschung hingegen legt 200 bis 300 nahe) und eine unpersönliche Atmosphäre bedrücken das Klima an der Schule. Die Schüler haben kein eigenes Territorium und wechseln oft die Kurse, können also kaum mit Freunden zusammenbleiben. Eine Beziehung zwischen Lehrer und Schüler kann auch kaum aufgebaut werden. Die Schüler lernen bei so vielen Lehrern, die so viele Kurse unterrichten, daß sie schon Schwierigkeiten haben, sich auch nur an die Namen der Schüler zu erinnern, geschweige denn, sie persönlich so genau zu kennen, daß sie sich auch nur in allgemeinster Weise um sie kümmern könnten. Meine eigenen Untersuchungen haben ergeben, daß die Schüler weiterführender Schulen hauptsächlich unter vier Dingen leiden: *dem Lehrstoff, der Demütigung durch die Lehrer, der Einsamkeit* und der *Aggressivität anderer Kinder.*

Im Rahmen dieses Buches beschränke ich mich auf die Erläuterung der letzten drei.

Sarkasmus und Demütigung durch Lehrpersonal

Sarkasmus und die Erniedrigung eines Schülers sind Symptom dafür, daß Lehrer unglücklich und frustriert sind. Nur wenige haben eine Vorstellung von den Schwierigkeiten, die das Unterrichten von Kindern und Jugendlichen im ausgehenden 20. Jahrhundert mit sich bringt. Nach den Psychiatern rangieren die Lehrer an zweiter Stelle, was arbeitsbedingte physische und geistige Zusammenbrüche betrifft.

Eine große, gesichtslose Schule ist für Lehrer ebenso frustrierend wie für Schüler. Diese Schulen sind oft von einer Atmosphäre physischer Bedrohung durchdrungen, wozu die Auflösung der Familien und die weiter um sich greifende Arbeitslosigkeit mit den entsprechenden ökonomischen Folgen sicher nicht wenig beitragen. Es sind dies aber auch Orte psychologischer Qual für alle Beteiligten, und wenn vom Staat nichts unternommen wird, um mehr Menschlichkeit und ein echtes pädagogisches Konzept in die Schulen zu tragen, dann wird sich die Situation eher noch mehr zuspitzen.

Sarkasmus und tägliche Angriffe auf Schüler haben zwei Gründe. Zum einen kann der Lehrer dadurch seine innere Anspannung abreagieren; wäre er glücklicher und ausgeglichener, würden solche Ausbrüche nicht vorkommen. Zum anderen ist die Disziplin eine beständige Sorge, und Sarkasmus bringt die Kinder dazu, sich zu betragen – jedenfalls kurzfristig.

Jeder verliert einmal seine Beherrschung und fällt dann aus der Rolle. Kinder können damit umgehen. Was sie jedoch verletzt, ist permanente Kritik. Ein Lehrer, der grundsätzlich keine Kinder mag und sich an ihnen nicht erfreuen kann, sollte seinen Beruf wechseln.

Einsamkeit

Isolation ist vor allem an weiterführenden Schulen ein sich epidemisch verbreitendes Phänomen. Schauen Sie sich einmal auf einem Pausenhof genauer um. Einige Schüler stehen offensichtlich alleine herum und finden keinen Anschluß. Die Mehrheit der Schüler findet sich wohl zu Cliquen und kleinen Gruppen zusammen, doch innerhalb dieser Gruppen findet kaum Interaktion statt – man trottet so nebeneinander her.

Häufig sind Jungen toleranter, wenn sich jemand der Gruppe zugesellt, Mädchen tendieren dazu, sich fester in eine Gruppe einzubinden und andere auszuschließen. Das ist auch der Grund, weshalb man Mädchenpaare sieht, die einfach aus gegenseitiger Einsamkeit zusammenbleiben, manchmal ohne ein Wort zu wechseln.

In der Klasse werden Sie feststellen, daß einige Kinder nicht einmal zu einer einfachen Konversation fähig sind. Sie sind nur in der Lage, ein, zwei Worte zu murmeln und würden nie ein Gespräch von selbst beginnen. Kommunikation und Kontakt zu anderen sind aber lebensnotwendig. Deutschlehrer und Sprachtherapeuten sollten diese Fähigkeiten mit den Betroffenen trainieren; Theaterkurse sind oft sehr hilfreich.

Einsame Kinder fallen kaum auf; ihre aggressiven und lärmenden Kameraden haben es insofern besser, als sie zumindest etwas von der Aufmerksamkeit erhalten, die sie suchen. Es bedarf womöglich eines zweiten Blickes, um in einer Klasse die Einsamen auszumachen, fraglos aber gibt es sie dort. Die zwei oder drei einsamen Kinder, die in jeder Klasse sind, sollten „Vorrang" haben, bewußt kontaktiert und integriert werden – ohne daß die Aufmerksamkeit der Klasse auf sie gelenkt wird. Jede Anstrengung, den Schulalltag zu vermenschlichen – sei es, daß man einen Schülerraum einrichtet oder eine Schülergruppe bei sich zu Hause bildet, Ausflüge unternimmt, Ferienlager organisiert und den Unterricht bewußt auf soziale Kompetenz, zwischenmenschliche Beziehungen und Selbstwertgefühle ausrichtet – ist von ungeheurem Wert. Die Schule ist für viele Kinder die letzte Chance, dem Negativprogramm ihres Lebens zu entkommen.

Demütigung und Aggression unter Kindern

Der schon legendären Grausamkeit unter Kindern wird meist auf kontraproduktive Art begegnet. Und wie immer weisen Gewaltausbrüche von Jugendlichen eher auf Fehlentwicklungen in der Welt der Erwachsenen hin, als daß sie speziell in der Kinderwelt begründet wären. Allgemein erdrückende Verhältnisse in der Schule und zu Hause führen dazu, daß die „Opfer" sich gegenseitig an den Kragen gehen.

Das war schon immer so: Ließen sich früher die Fürsten an den Rittern aus, gaben es die Ritter an die Bauern weiter, und die Bauern, denen wenig Möglichkeiten zur Revolte zu Verfügung standen, ließen es mangels Alternative aneinander aus. Eine ähnliche Dynamik herrscht auch an der Schule: Die Maßregelung gewalttätiger Schüler durch die Schulbehörden erhöht nur die Spannung und führt zu noch mehr Gewalt im System.

Gäbe man den Lehrern vernünftige pädagogische Mittel an die Hand und unterstützte sie mehr, so könnten diese ihre Schüler konsequent erziehen, ohne deren Selbstwertgefühl anzutasten. Dann würde auch die Gewalt unter Kindern abnehmen. Die materielle Ausstattung von Schulen ist wichtig, doch im Vergleich mit der Art, wie die Menschen miteinander umgehen, von ganz oben bis ganz unten, nebensächlich.

Die Schule ist – trotz allem – normalerweise nicht das größte Problem für die Kinder, sie trägt aber nicht unerheblich zur Verschleierung der eigentlichen, persönlichen Misere bei.

Eine Studie des Beirats für Erwachsenenbildung in Melbourne zeigt auf entlarvende Weise, daß erwachsene Analphabeten fast durchgehend bereits Anpassungsprobleme gehabt hatten, bevor sie überhaupt eingeschult wurden. Das Schulsystem jedoch versagte dabei, diesen Kindern die Angst zu nehmen und ihr fehlendes Selbstwertgefühl aufzubauen, was zum Handikap für ihre Lernfähigkeit wurde.

Daß das Schulsystem versagt, ist natürlich keineswegs dem einzelnen Lehrer zur Last zu legen. Der Fehler liegt im System, die Schule ist zur „Fabrik" entartet: Horden von über 30, manchmal sogar 40 Kindern gleichzeitig zu unterrichten ist eigentlich nicht möglich. In der Geschichte sucht man vergebens nach Beispielen einer Kultur, die in der Art, wie wir es heute tun, die nachwachsende Generation unterrichtet hätte. Von den australischen Aborigines bis hin zu den alten Griechen wurden die Kinder einzeln oder in Kleinstgruppen unterrichtet – und es gab wenige sogenannte Versager und keine Aussteiger.

Fazit

Kein Lehrer, und sei er noch so mit dem Herzen dabei, kann 30 Kindern gleichzeitig die psychologische Unterstützung und die Motivation vermitteln, die sie brauchen, um gut lernen zu können. Der Tag kommt hoffentlich bald, an dem wir unser Erziehungssystem neu bewerten, an dem wir erkennen, daß wir unsere Schulen mit pädagogisch und psychologisch besser geschulten Lehrern wappnen müssen, damit jedes Kind zu seinem Recht kommt und tatsächlich eine Chance hat, gebildet zu werden. Bis dahin bleibt die Schule ein Ort, an dem mit ungleichen Mitteln gekämpft wird und an dem viele auf der Strecke bleiben.

Da Sie jedoch ein motivierter Lehrer sind (sonst hätten Sie nicht bis hierher gelesen) und das Beste für Ihre Schüler wollen, sollten Sie folgende Regeln beherzigen:

- **Verbannen Sie jede Form der Demütigung aus Ihrem Klassenzimmer, versuchen Sie stattdessen, die Kinder bestimmt und konsequent zu leiten.**

- **Widmen Sie sich den problematischen und verhaltensauffälligen Kinder besonders, ohne sie herauszustellen.**

- **Achten Sie darauf, daß Sie selbst genug Streicheleinheiten und Anerkennung erhalten und damit ausgeglichen auf Ihre Schüler zugehen können.**

196

Politiker oder Personen, die sich auf kommunaler Ebene engagieren

Eine Familie bildet keine Insel. Intakte Familien können nur in einer Gesellschaft existieren, die ihren Bedürfnissen Rechnung trägt. Die Gesellschaft kann man als einen gigantischen Sozialverein ansehen, dem wir alle Mitgliedsbeiträge entrichten und von dem wir im Gegenzug Leistungen zurückerhalten.

Dieser Sozialverein funktioniert nicht immer reibungslos. Er ist vielmehr ziemlich chaotisch organisiert, denn seine Mitglieder haben deutlich unterschiedliche Interessen und sind beständig bemüht, den Lauf der Dinge zu ihren Gunsten zu beinflussen. Wir müssen hart arbeiten, um einen gerechten Anteil vom Kuchen abzubekommen. Zugleich müssen wir so kooperativ sein, daß der Verein fortbesteht.

Für Eltern heißt das, daß sie sich mit der Gesellschaft auseinandersetzen müssen, um ihren Kindern einen ausreichenden Anteil zu sichern. Eltern müssen sich also nicht nur nach „innen" orientieren und das Familienklima verbessern, indem sie die Kinder erziehen und sich um den Partner bemühen. Sie müssen sich auch nach „außen" wenden, indem sie sich in Elternbeiräten und Nachbarschaftshilfen engagieren oder sich politischen, religiösen oder anderen Organisationen verschreiben.

Jeder einzelne muß seinen Teil zum Funktionieren der Gesellschaft beitragen: Eltern, die sich völlig heraushalten, die am Gemeinschaftsleben nicht teilnehmen, riskieren womöglich, wie Schafe in einem zunehmend totalitären Staat herumgescheucht zu werden. Eltern, die sich allerdings politisch einseitig engagieren, sei es beruflich oder anderweitig, vernachlässigen unter Umständen ihr auch Familienleben und werden zunehmend entmenschlicht.

Dieses Buch handelte von der „Orientierung nach innen", dem Leben der Familie und in diesem kurzen Kapitel davon, wie wichtig es ist, sich auch um das Ganze – die Gesellschaft – zu kümmern. Die Zeichnung auf Seite 200 zeigt etwas, was manchmal als Sozialvertrag bezeichnet wird, zeigt, was wir für unsere Mitgliedschaft in der Gesellschaft erhalten.

Jede Familie stellt ihre Arbeitskraft zur Verfügung, zahlt Steuern und trägt auf vielfältige Weise zur Gestaltung des Gemeinwesens bei. Ja, es ist so, daß die millionenfach multiplizierte Familie die Gesellschaft bildet. Dennoch stellen Familien immer wieder fest, das sie ihren gerechten Teil nicht abbekommen – dies kann eine schlechte oder zu teure Gesundheitsversorgung sein, eine Einschränkung der Sozialeinrichtungen und -leistungen oder die Tatsache, daß sich für Jugendliche kein Arbeitsplatz findet. Deshalb ist es notwendig, daß Familien für ihre Bedürfnisse kämpfen.

Dutzende meiner Seminare hatten zum Thema, welche Rechte Eltern haben, und immer wieder stellte sich heraus, daß viele Eltern mit den Schulen, dem Gesundheitswesen, der Stadtverwaltung und vielem anderen unzufrieden sind. Selbst wenn man die menschliche Neigung zum „Beschweren" abzieht, war doch allzu deutlich, wie ohnmächtig und benachteiligt sich Eltern von der sie umgebenden Gesellschaft und von den „Behörden" im besonderen fühlen

Auch in diesem Bereich sollte man „mit Bestimmtheit für die eigenen Interessen eintreten" (siehe Kapitel 5). Ich habe versucht, Eltern in Rollenspielen für den Umgang mit ausweichenden Ärzten, unverschämten Beamten, herablassenden Lehrern und so weiter zu schulen. Ich spornte die Eltern an, ihre Interessen als Verbraucher durchzusetzen.

Oftmals ist es angebracht, sich zu organisieren, um etwas zu erreichen, da Einzelstimmen kein Gehör finden. Viele Bürger engagieren sich deshalb in Interessengruppen und Bürgerbewegungen wie Umweltorganisationen, Elternorganisationen an Schulen, Einkaufsgemeinschaften biologischer Kost und vielen anderen.

Politiker sollten, anstatt über Politikverdrossenheit zu jammern, diesen Trend begrüßen, da er den Weg zu echter, teilhabender Demokratie weist und außerdem in den isolierenden und anonymen modernen Großstädten eine billige Alternative für die Entwicklung des Gemeinwesens bietet. Selbsthilfegruppen, von Elterninitiativen und Müttergruppen über den Zusammenschluß Alleinerziehender bis hin zu den Anonymen Alkoholikern, leisten einen bemerkenswerten Beitrag zum gesunden Miteinander in einer Gesellschaft.

Zweifellos brauchen Familien an erster Stelle materielle Sicherheit. Unter einer bestimmten Einkommensschwelle ist es schwer, glückliche Kinder aufzuziehen. Grundsätzlich aber benötigen Familien mehr als genügend Geld. Ist für angemessene Unterkunft und ausreichende Ernährung gesorgt, profitieren die Menschen am meisten davon, wenn sie mit anderen in Beziehung treten können und einer Beschäftigung nachgehen, die sie sich selbst ausgesucht haben. Oft hört man, daß „Eltern sich nicht engagieren wollen". Diese Klagen kommen oft von Leuten, die langweilige Predigten über Kindererziehung halten!

Schauen Sie sich dagegen den enormen Erfolg von Kaffeefahrten oder Parties an, auf denen man Plastikcontainer kaufen kann! Die Menschen möchten nicht belehrt werden, sondern sich in freundlicher, gleichberechtigter Atmosphäre mit anderen treffen – auf das Risiko hin, den Schrank voller Plastikcontainer zu haben! Es ist traurig, daß solche belanglosen Zusammentreffen oft das einzige Mittel sind, um das Bedürfnis nach Zugehörigkeit zu einem Gemeinwesen und nach Austausch zwischen Menschen in einer oftmals anonymen Umgebung zu befriedigen.

WOHNUNGSBAU,
NAHRUNGSMITTEL-,
WASSER-, GAS-,
BRENNSTOFF-,
ELEKTRIZITÄTS-
VERSORGUNG,
TELEFON

ÖFFENTLICHE
SICHERHEIT UND
ORDNUNG,
NATIONALE
VERTEIDIGUNG

VERKEHRSWEGE,
KANALISATION,
GESUNDHEITSWESEN

FREUNDSCHAFT,
SOZIALE
EINRICHTUNGEN,
INFORMATION

FREIZEIT-,
UNTERHALTUNGS-
ANGEBOTE,
ERZIEHUNGS-
EINRICHTUNGEN

DANKE SCHÖN!

Das beste Argument für die – staatliche, kommunale – Unterstützung von Bürgerinitiativen ist die Kostenersparnis für das gesamte Gemeinwesen. Ein Freund von mir organisiert Selbsthilfegruppen für Menschen, die einen Nervenzusammenbruch gehabt haben oder von einem bedroht sind. Wenn er zwei Menschen davor bewahrt, innerhalb eines Jahres stationär behandelt werden zu müssen, hat er dem Staat bereits die Kosten für sein Gehalt eingespart. Es bedarf kaum der Erwähnung, daß er und ähnliche Gruppen weitaus mehr als nur das erreichen.

Eine großangelegte Studie in den USA sollte herausfinden, warum einige Jugendliche trotz zerbrochener Familien und schlechter Wohnbedingungen gesetzestreu und produktiv blieben, während andere straffällig wurden. Es stellte sich heraus, daß die produktiven Jugendlichen Zugang zu Erwachsenen außerhalb ihrer Familien hatten, die sich um sie kümmerten, sie unterstützten und freundlich aufnahmen. Meistens, wenn auch nicht in allen Fällen, war das irgendein Verein, den ein engagierter Erwachsener leitete.

Zusammenfassung

Als Eltern können Sie nicht umhin, sich öfters in Gruppen und Situationen außerhalb Ihrer vier Wände zu engagieren. Wenn Sie die Interessen Ihrer Familie wahrnehmen und Ihren Kindern eine lebenswerte Zukunft sichern wollen, bleibt Ihnen nicht erspart, aktiv für Ihre Interessen einzutreten (aus gutem Grund finden sich viele junge Eltern in Umwelt- und Friedensgruppen).

Wenn Sie sich im Gemeinwesen engagieren, sei es als Sekretärin eines Mütterzentrums oder als Abgeordneter in einem Parlament, dann ist es wichtig, daß Sie sich bewußt machen, wie sehr jede Familie auf ein soziales Umfeld angewiesen ist. Familien sollten die zwanglose Gelegenheit haben, miteinander in Beziehung zu treten, sich zusammenzuschließen.

Jede Einrichtung, die den Kontakt von Familien untereinander ermöglicht, wird den sozialen Frieden sichern und zu einer künftig glücklicheren und mehr auf sich selbst bauenden Gesellschaft beitragen. Für alle öffentlichen Ausgaben sollte denn auch die Maxime gelten, „Vorsorgen ist besser als Heilen".

Wenn Sie Großvater/-mutter, Nachbar/in oder ein/e Freund/in sind

Elternschaft kann ein einsames Geschäft sein. Oft bemerken nur die Menschen, die in der Nähe wohnen oder zur engeren Familie gehören, wie sich Spannungen aufbauen und Demütigungen zwischen Eltern und Kind zunehmen. Dennoch ist es schwierig, in dieser Lage Hilfe anzubieten, ohne den Betroffenen zu nahe zu treten. Lassen Sie mich deshalb ein paar Vorschläge machen.

Praktische Hilfe
Die einfachste Art zu helfen ist das Babysitting. Viele junge Eltern sind allein dadurch erschöpft, daß sie ohne Pause als Eltern zur

Verfügung stehen und womöglich noch arbeiten müssen. Ein paar Stunden Pause können lebensrettend sein, dennoch zögern viele Eltern, andere um Unterstützung zu bitten. Deshalb sollten Verwandte und Freunde von sich aus hin und wieder ihre Dienste als Babysitter anbieten. Sagen Sie gelegentlich aber auch: „Nein, diese Woche kann ich nicht", damit die Eltern wissen, daß Sie „Nein" sagen können und Ihre Hilfe nicht selbstverständlich ist! Geholfen ist den Eltern auf jeden Fall. Eine ältere, resolute Bekannte von mir hütet die Kinder einiger junger Eltern in der

203

Nachbarschaft, allerdings nur unter der Bedingung, daß diese die freie Zeit für die eigene Entspannung nutzen – eine sehr bestimmende Idee, aber eine effektive Art der Hilfe.

Materielle Unterstützung ist das nächste Thema. Kinder aufzuziehen ist sehr kostenaufwendig, und es scheint so, daß viele Eltern erst wieder Geld übrig haben, wenn die Kinder aus dem Haus sind. Früher profitierten junge Eltern vom kollektiven Besitz der Familie. Heute ist jede Familie auf sich selbst gestellt. Wenn Sie Kinderwagen, Kindersitze, Kleidungsstücke und andere nützliche Dinge für wenig Geld oder gar umsonst weitergeben, dann können Sie mancher jungen Familie helfen.

Freundschaft

Nichts kommt der herzlichen, unvoreingenommenen Bereitschaft eines Freundes gleich, der zuhören kann und möchte. Im Laufe der Zeit sammeln sich bei allen Eltern Spannungen und Sorgen an, die mit Hilfe eines wohlwollenden Zuhörers oft dammbruchartig heraussprudeln. Nehmen Sie sich Zeit, hören Sie zu und stellen Sie Fragen, und seien Sie nicht voreilig mit Rezepten und Vergleichen zur Stelle. Dann werden Sie selbst beobachten können, wie sich das Gesicht der Mutter oder des Vaters schon beim Erzählen entspannt.

Predigen, belehren, urteilen, vergleichen, kritisieren oder bewerten Sie nicht! Wenn Sie auch meinen, „älter und weiser" zu sein, dann beherrschen Sie sich, lächeln Sie und warten Sie geduldig ab. Ratschläge können auf manche wie ein Schlag gegen das Selbstwertgefühl wirken, vor allem, wenn sie nicht um Rat gefragt haben. Auch wenn es ein „guter" Ratschlag ist, hat er den unangenehmen Nebeneffekt, daß sich die Person dadurch klein fühlt. Glauben Sie mir!

Wenn Sie die Eltern der jungen Eltern sind, sollten Sie noch zurückhaltender sein und nicht versuchen, noch immer zu erziehen und das nachzuholen, was Sie, als Ihre Tochter oder Ihr Sohn zwölf Jahre alt war, versäumt haben. Wenn Sie es dennoch nicht lassen können, dann werden Ihre Sprößlinge so tun müssen, als ob sie zurechtkämen, wann immer Sie anwesend sind – eine zusätzliche Belastung für sie.

Zusätzliche Eltern

Erwachsene brauchen Freunde und sie brauchen positive Rückmeldungen. Margaret Mead hat einmal gesagt, daß kleine Kinder und Großeltern deshalb so gut miteinander auskommen, weil sie einen gemeinsamen Feind haben! Kinder brauchen neben ihren Eltern andere Erwachsene als Freunde und Vertraute, die ihnen in den Zeiten, in denen die Eltern zu überlastet sind, um freundlich zu reagieren, Anerkennung und Zuneigung geben. Selbst die gräßlichsten Großeltern haben ihren Wert allein deshalb, weil sie Mami und Papi im Vergleich doch zu recht netten Leuten machen! Andererseits kenne ich viele Menschen, die eine im übrigen unerträgliche Kindheit nur deshalb durchgestanden haben, weil es eine ältere Person in der Nähe gab, die ihnen Sicherheit gab.

Wenn die Familien in ein Netz von Freunden und Nachbarn eingebunden sind und wenn Menschen aller Generationen Umgang miteinander haben, dann brauchen wir keine Psychologen oder Wohlfahrtseinrichtungen, denn dann können wir allumfassend für uns selbst sorgen.

Der Brief einer Mutter

Lieber Steve,

ich bin ziemlich nervös, weil ich über mich selbst schreiben soll, und ich weiß, daß bald viele Leute meine Worte lesen werden. Aber ich will etwas beitragen, was anderen hilft, weil wir Eltern immer zusammenhalten müssen.

Vor einem Jahr war unsere Familie in einer furchtbaren Verfassung. Zwei Mal hatte ich fast unsere kleine Gayle erschlagen, die heute drei ist. Mein Mann Dave und ich redeten nie miteinander, ohne daß daraus ein Streit wurde, und Peter, der erst sechs ist, hatte bereits Probleme in der Vorschule. Als Letztes wollte ich in dieser Lage auch noch irgendeinem Experten zuhören, damit der uns sagt, was wir tun sollen.

Dr. P. sagte, ich würde schon zu viele Beruhigungspillen nehmen, und daß ich andere Hilfe brauche, um entspannen zu können. Ich stand so unter Drogen, daß er mich nicht mehr Auto fahren lassen wollte. Dann gab er mir Deine Adresse und sagte, daß man mit Dir gut reden könne, und, obwohl ich meine Zweifel hatte, rief ich Dich an, um einen Termin auszumachen.

Ich war überrascht, als Du sagtest, Dave solle mitkommen. Die Idee gefiel ihm gar nicht, er behauptete, daß er keine Zeit hätte, daß ich diejenige sei, die Probleme mit den Kindern hätte, nicht er – er kommt immer gut mit ihnen aus. Aber du hattest darauf bestanden, daß er mitkommt, also kam er mit. Als wir ins Zimmer kamen, dachte ich: Wer ist denn dieser Typ, der schaut ja wenig älter aus als ich oder Dave, was kann der schon wissen?

Deine Fragen waren so seltsam, daß ich am liebsten gleich wieder gegangen wäre. Was passiert in deinem Körper, wenn die Kinder aufdrehen? Wann merkst du, daß du blockierst – was ist das erste Warnsignal? Und die gleichen Fragen an Dave, was er fühle, wenn wir uns streiten. Was er meine, wie es weitergehen solle? (Daves Antworten waren eine Überraschung, Dave spricht sonst nicht viel über seine Gefühle. Vielleicht fiel es ihm leichter, weil ein anderer Typ dabei war).

Daves Mutter hat ihn immer fertiggemacht, tut es heute noch, aber mir war nicht klar, daß es ihn so stark verletzt. Er hat sich mittlerweile ganz schön verändert, als ich letzte Woche auf ihn losgehen wollte, sagte er einfach: „Hör' auf rumzukeifen, Frau", und hat mich in den Arm genommen! Was konnte ich da noch sagen?

An meine eigene Kindheit wollte ich nie gerne zurückdenken, was hat das denn mit heute zu tun, dachte ich (obwohl ich den Verdacht hatte, daß es sehr viel damit zu tun hat!). Meine Eltern gehörten nicht zur zärtlichen Sorte. Mami war meistens krank, ich hatte immer das Gefühl, eine Last zu sein. Oft hatte ich das Gefühl, ein Schraubstock sei um meinen Kopf gespannt – das gleiche Gefühl, das ich später hatte, wenn mir die Kinder zuviel wurden. Eine Verbindung war mir aber nie aufgefallen.

In Deinem Brief fragst du, ob ich mich an etwas erinnern kann, was uns genutzt hat. Dieser erste Abend im Zentrum schlug ein wie eine Bombe. Gerade als ich dachte, wir wären fertig, fragtest Du: „Hast du das Gefühl, daß du irgendwann deine Kinder verletzten könntest?" Was für eine Frage, so aus dem Nichts heraus!

Ich sagte: „Ja, manchmal schon!" Ich dachte, jetzt ist es passiert, jetzt werden sie mir die Kinder wegnehmen. Fast hätte ich Dich angelogen, aber ich glaubte nicht, daß Du Dich hättest täuschen lassen. Dann sagtest Du: „Wie lange könntest du mit mir einen

207

Vertrag schließen, sie nicht zu schlagen?" Alles mögliche schoß mir durch den Kopf, wie konnte ich das voraussagen? Was war, wenn sie sich wirklich schlimm aufführten?

Endlich sagte ich: „Vielleicht eine Woche?" Du fragtest: „Vielleicht?" „Eine Woche," sagte ich, jetzt bestimmter. Dann sagtest Du: „Okay, ich sehe euch, bevor die Woche 'rum ist". Ich weiß nicht warum, aber in dem Moment fing ich an zu weinen. Dave und ich gingen nach Hause, und wir redeten die ganze Nacht.

Und das war nur der Anfang. Viele andere Sachen haben seitdem geholfen. Wenn ich das Gefühl hatte, ich müßte den Kindern eine Ohrfeige verpassen, ging ich schnell spazieren, ich erinnere mich sogar, daß ich sie einmal anschrie, ihnen befahl. sitzen zu bleiben, und dann wie eine Wilde auf die Matraze im Schlafzimmer einschlug.

Irgendwann brachte ich den Mut auf, die Nachbarin zu fragen, ob sie babysitten würde. Ich traute mich, Dave zu sagen, was mir richtig guttut (ich will hier aber keine Details ausbreiten!).

Zwischendurch, als Dave seinen Job verlor, ging es ziemlich schlecht. Wir machten bei den „Anonymen Eltern" mit, lernten, was Demütigungen und positive Streicheleinheiten sind und all die anderen Sachen. Ich wünschte, meine Eltern hätten davon gewußt. Ich fand heraus, daß ich nicht die einzige auf der Welt war, die Probleme mit ihren Kindern hatte. Eines Tages verfütterte ich meine letzten Valiumtabletten an die Hühner des Nachbarn. Was haben wir gelacht!

Es ist immer noch schwer, manchmal, aber ich fühle mich wie neugeboren im Vergleich zu damals, und die Kinder sind viel besser heute. Das sagen mir auch andere Leute.

Also, was bleibt mir anderes zu sagen als .... danke!

Ich weiß, daß du mich deshalb aufgefordert hast, diesen Brief zu schreiben, weil ich gerne schreibe und weil andere Menschen etwas davon haben könnten. Ich hoffe, ich habe es richtig gemacht und sende meine allerbesten Wünsche an all die anderen Eltern, die glauben, sie seien die schlechtesten auf der Welt. Paßt auf euch auf!

In Liebe,
Judy

Nachwort

Nur Eltern, die sich Gedanken über die Erziehung ihrer Kinder machen, lesen auch Bücher zum Thema. Während der Lektüre dieses Buches haben vermutlich einige Passagen sofort „ins Schwarze getroffen", andere waren nicht so wichtig, andere gar uninteressant.

Wahrscheinlich haben Sie einige Teile ausgelassen, dafür andere um so genauer gelesen. Das ist gut so, denn das Buch wurde so aufgebaut, um genau auf diese Art und Weise benutzt zu werden; deshalb findet man auch ein Schlagwortverzeichnis zu den wichtigsten Themen am Anfang und ein Register am Ende des Buches. Die Abschnitte, die auf Ihre Situation und auf Ihre Kinder zutrafen, haben Sie, nachdem Sie das Buch aus der Hand legten, zum Nachdenken angeregt. Manchmal bemerkten Sie sogar, daß Sie inzwischen die Dinge anders ausdrückten, daß Sie sich leichter und weniger verkrampft fühlten im Umgang mit Ihren Kindern.

So geschehen Veränderungen! Wir können uns bewußt darum bemühen, oder wir können neue Ideen einfach einsickern lassen.

Manchmal werden Sie einige Abschnitte noch einmal lesen wollen und dabei Dinge entdecken, die Sie beim ersten Durchgang nicht bemerkt haben; weil Sie nach dem ersten Lesen Fortschritte gemacht haben und nun mehr aufnehmen können. Sie können das Buch wieder zur Hand nehmen, wenn Sie sich deprimiert oder blockiert fühlen – es wird Ihnen helfen, sich aus dem Gefühl, daß die Situation verfahren sei, zu lösen.

Sie werden häufiger sogenannte „Ich-Botschaften" („Ich will, daß du ...") statt hypnotisch wirkende Herabsetzungen anwenden, wenn Sie mit Ihren Kindern sprechen. Womöglich denken Sie mehr über Zärtlichkeit und auch positive Aufmerksamkeit nach. Oder es ist das aktive Zuhören, das Sie Ihren Kindern näher bringt. Bestimmt aufzutreten mag eine ganz neue Erfahrung für Sie sein! Oder Sie arbeiten weiter daran, Ihrer Familie die Struktur zu geben, die Sie sich wünschen.

Manchmal werden Sie meinen, daß sich nichts verändert hat – alles scheint so schwierig zu sein wie zuvor. Und eines anderen Tages wird Ihnen klar, daß Sie und Ihre Kinder, und die Menschen um Sie herum, viel, viel glücklicher geworden sind. Echter Fortschritt kommt wie die Gezeiten – in Wellen. Lernen Sie, darauf zu vertrauen.

Leseempfehlungen

Wenn Ihnen dieses Buch gefallen hat, möchte ich Ihnen ein paar weitere nennen, die sich mit Kindern und Eltern befassen. Vielleicht helfen sie Ihnen weiter:

James, Muriel/Jongeward, Dorothy, Spontan leben,
Hamburg 1986
Gordon, Thomas, Familienkonferenz, Hamburg 1972
Dobson, James, Anti-Frustbuch für Eltern, Kehl 1984
Liedloff, Jean, Auf der Suche nach dem verlorenen Glück:
gegen die Zerstörung unserer Kindheit, München 1993
Axline, Virginia, Pibs, die wunderbare Entfaltung des
menschlichen Lebens, München 1982
Satir, Virginia, Familienbehandlung, Freiburg 1991
Schiff Jacqui, Lee, Alle meine Kinder, München, 1980

Inzwischen sind in Deutschland einige weitere Bücher erschienen, in denen ich näher auf Themen eingehe, die im *Geheimnis glücklicher Kinder* nur kurz angesprochen sind: Was Väter (und Männer) zur Erziehung betragen können, behandle ich in *Männer auf der Suche* (im Beust Verlag erschienen); wen besonders die Erziehung von Jungen interessiert, findet vieles in *Jungen! Wie sie glücklich heranwachsen* (ebenfalls im Beust Verlag erschienen); zu Fragen der Disziplin und wie wir unseren Kindern unsere Liebe auch zeigen können, finden Sie Antworten in *Weitere Geheimnisse glücklicher Kinder* (ebenfalls im Beust Verlag erschienen).
Viel Spaß bei der Lektüre!

Weiterführende Hinweise
Wer beruflich mit Kindern arbeitet

Die Hauptthese dieses Buches ist einfach: Für das Wachstum und die Entwicklung der Kinder ist in vieler Hinsicht entscheidend, was wir zu ihnen sagen und wie wir es ihnen sagen. Wie Kinder auf diese Weise beeinflußt werden, ist im ersten Kapitel beschrieben. Überraschend ist die Tatsache – die Medizinern wohl, der allgemeinen Öffentlichkeit aber kaum bewußt ist –, in welchem Umfang diese Beeinflussung auf hypnotischer Grundlage geschieht, ohne daß sich Eltern oder Kinder dessen gewahr würden.

Dieses Buch habe ich in der Absicht geschrieben, Eltern dabei zu helfen, das, was ich „Demütigungs-Erziehen" genannt habe, zu erkennen und zu vermeiden: nämlich den Gebrauch von zerstörerischen Botschaften, um die Kinder zu steuern. Alle folgenden Kapitel bieten deshalb Alternativen zum „Demütigungsstil" an. Eltern soll praktische Hilfe an die Hand gegeben werden, wie sie diesen Stil aufgeben können.

Wer beruflich mit Kindern arbeitet, wird viele Grundannahmen dieses Buches wiedererkannt haben. Für diejenigen, die bestimmte Ideen zurückverfolgen oder ihre Implikationen für bestimmte Familien und Kinder weiter erforschen möchten, folgt eine kurze Zusammenfassung der jedem Kapitel zugrundeliegenden Quellen.

Die Psyche prägen

Die Bedeutung des „Aufnehmens" von elterlichen Botschaften in der Kindheit wurde als erstes von Eric Berne erkannt und ist ein wesentlicher Bestandteil einer Therapie, die als Transaktionsanalyse bekannt ist. Robert und Mary Goulding kategorisierten zehn grundsätzliche „Tu-nicht-Botschaften" und fanden heraus, daß negative Programmierungen nicht nur „passiv" empfangen werden (wie Berne noch geglaubt hatte), sondern tatsächlich zu einer unbewußten Kooperation seitens des Kindes führen. Die Botschaften bleiben „aktiv", mit der Folge, daß dadurch die Lebenschancen des Erwachsenen erheblich beeinträchtigt werden. Diese Programmierungen zu identifizieren und ins Bewußtsein zu bringen, ist das Ziel der sehr wirksamen "redecision therapy" (wörtlich „Neuentscheidungstherapie") .

Gedemütigte und/oder verhaltensgestörte Kinder werden in der Regel selbst dann keine positiven Botschaften annehmen, wenn sie in ein fürgsorgliches Umfeld gegeben werden. Jacqui und Aaaron Schiff haben jedoch demonstriert, daß Kinder mit intensiver Fürsorge und starker Führung „nochmals erzogen" werden können (sogenanntes "reparenting").

Das Konzept von „zufälliger Hypnose" beruht auf dem Werk von Milton Erikson. Vor allem seine Schüler Richard Bandler und John Grindler haben deutlich gemacht, wie dieser Vorgang funktioniert und wie er bewußt eingesetzt werden kann. Die ethischen Fragen, die dadurch aufgeworfen werden, sind auch weiterhin Gegenstand intensiver Debatten.

„Du-Botschaften" wurden unter dieser Bezeichnung im Rahmen des außergewöhnlich erfolgreichen Buches *Familienkonferenz* von Thomas Gordon bekannt. Als „Attribute" werden sie in nahezu jeder Schrift zum Thema Familientherapie diskutiert, zum Beispiel in den Büchern von Virginia Satir, Jay Haley, R.D. Laing usw.

Was Kinder wirklich wollen

Das frühe Werk von René Spitz und John Bowlby, die die Symptome des Hospitalismus und Marasmus beobachteten, hat zu dem Konzept von „Streicheleinheiten" geführt. Das gesamte Gebäude der Verhaltensmodifikation baut auf der Vorstellung „Was du streichelst, das bekommt du auch" auf. Die Arbeiten von Amelia Auckett über Babymassage sind eine gute Einführung für das zärtliche Elternsein.

Heilen durch Zuhören

Die Vorstellung des „aktiven Zuhörens" entwickelte sich aus dem Beratungsstil von Carl Rogers, der seine Patienten immer in den Mittelpunkt stellte. Auch hier gebührt Thomas Gordon der Dank, diese Methode einer Vielzahl von Eltern bekannt gemacht zu haben.

Kinder und Gefühle

Unter Gefühlen versteht man für gewöhnlich alle Variationen der primären biologischen Zustände Wut, Angst, Traurigkeit und Freude. Wie diese in allen Menschen angelegten Grundgefühle ausgedrückt werden, wird jedoch in hohem Maße durch familiäre und kulturelle Faktoren bestimmt.

Zum Verständnis und zur Befreiung der emotionalen Seite der Menschen hat die Praxis und Theorie der Therapiebewegung – sowie das Werk von Harvery Jenkins – beigetragen. Vor allem Anhängern des "reparenting" (des „nochmals Erziehens") im Rahmen der Transaktionsanalyse ist es zu verdanken, daß systematische Ansätze für das Äußern und zugleich sozial konstruktive Einbringen von Emotionen gefunden wurden.

Das Konzept der „aufgesetzten" ("racket") oder falschen Gefühle, die darauf abzielen, andere zu kontrollieren, ist sehr wichtig. Koller, Schüchternheit und Schmollen oder Langeweile sind verbreitete Störungen der Kindheit, die in unserer Kultur zu häufig toleriert werden und sich oft bis ins Erwachsenenleben fortsetzen – als Gewalt, Depression usw. Die ersten, die uns über die Natur der Schüchternheit aufklärten und uns zeigten, wie sie tatsächlich zu „heilen" ist, gehörten Elisabeth und Ken Mellor

Bestimmt auftretende Eltern

Selbstbewußtes, für die eigenen Interessen eintretendes, bestimmtes Auftreten ist allseits bekannt und wird vielfach auch trainiert, selten jedoch unmittelbar im Zusammenhang mit der Eltern-Kind-Beziehung.

Das ist schade, denn Eltern, die bestimmt auftreten, müssen ihre Kinder nicht demütigen, um ihr Verhalten zu steuern. Die üblichen Bücher und Kurse trainieren oberflächlich Techniken des bestimmten Auftretens an, meist aber ohne den Dingen auf den Grund zu gehen, d.h. den Eltern die eigene negative Programmierung bewußt zu machen (wie es wirklich gute Bücher und Kurse zum Thema tun).

Die Bewegung der „robusten Liebe" („Tough Love") in den USA bietet wirklich lohnende Hilfen und Rezepte für Eltern mit Problemkindern.

Familienstrukturen

In ihrer unnachahmlichen Art hat uns vor allem Margaret Mead daran erinnert, daß wir nicht mehr in vollständigen Familien leben, vielmehr in Familienfragmenten. Näher auf das Thema der inneren Struktur von Familien gehen Virginia Satir, Margaret Topham, Sal Minuchin und viele andere ein, die sich mit gezielten Therapien zur Erneuerung von Familienstrukturen befassen.

Altersphasen

Die in diesem Buch angenommenen Entwicklungsphasen beruhen auf dem Werk von Pamela Levin. Das Buch *Self-Esteem: A Family Affair* von Jean Illsley-Clarke (das noch nicht auf deutsch vorliegt), das die Ideen von Pamela Levin vertieft und erweitert, ist das brauchbarste und praktikabelste Buch zur Kindesentwicklung, das ich je gelesen habe.

Wie man Energie tankt

Die Ansicht, daß Energie von Person zu Person weitergegeben werden kann, ist wissenschaftlich nicht gerade fundiert, und es gibt wenige Untersuchungen darüber. Andererseits wird die Tatsache, daß einige Menschen sprichwörtlich „anstrengend" sind und andere „Kraft geben" – daß ein Geben und Nehmen von Energie zwischen Personen stattfindet –, von fast allen Eltern bestätigt. Die Arbeit von Ken Mellor in Australien sowie von Julie Henderson und anderen „Bioenergetikern" in den USA weisen daraufhin, daß mehr dahintersteckt als nur eine Wortassoziation. Und für Eltern, die tagtäglich der Gefahr völliger Erschöpfung ausgesetzt sind, kann ein ausgeglichener Energiehaushalt lebensrettend sein.

Register

219

Familie
und Erziehung

Dr. Eduard Estivill
So lernen alle Kinder schlafen
Die Estivill-Methode – sanft, schnell und wirkungsvoll
3-453-87935-X

Steve Biddulph
Das Geheimnis glücklicher Kinder
3-453-19742-9

Steve Biddulph
Weitere Geheimnisse glücklicher Kinder
3-453-19762-3

Steve Biddulph
Jungen! Wie sie glücklich heranwachsen
3-453-21495-1

John Gottman
Kinder brauchen emotionale Intelligenz
Ein Praxisbuch für Eltern
3-453-14950-5

Desmond Morris
Babywatching – Die Körpersprache der Babys
Was dir dein Baby sagen will
3-453-14128-8

Thomas Gordon
Die neue Familienkonferenz
Kinder erziehen ohne zu strafen
3-453-07861-6

HEYNE‹